P9-BZE-959

1938

Кейт ДиКамилло

УДИВИТЕЛЬНОЕ ПУТЕШЕСТВИЕ КРОЛИКА **ЭДВАРДА**

Перевод с английского
Ольги Варшавер

Иллюстрации
Баграма Ибатуллина

Москва
«Махаон»
2010

УДК 821.111(73)-3-93
ББК 84 (7Сое)
Д44

ДиКамилло К.

Д 44 Удивительное путешествие кролика Эдварда: Сказочная повесть / Пер. с англ. О. Варшавер; Ил. Б. Ибатуллина. – М.: Махаон, 2010. – 128 с., ил.

ISBN 978-5-389-00021-6 (рус.)
ISBN 978-0-7636-2589-2 (амер.)

Однажды бабушка Пелегрина подарила внучке Абилин удивительного игрушечного кролика по имени Эдвард Тюлейн. Его сделали из тончайшего фарфора, у него был целый гардероб изысканных шёлковых костюмчиков и даже золотые часы на цепочке. Абилин обожала своего кролика, целовала его, наряжала и каждое утро заводила его часики. А кролик никого, кроме себя, не любил.

Как-то Абилин вместе с родителями отправилась в морское путешествие, и кролик Эдвард, упав за борт, оказался на самом дне океана. Старый рыбак выловил его и принёс жене. Потом кролик попадал в руки разных людей – добрых и злых, благородных и коварных. На долю Эдварда выпало множество испытаний, но чем труднее ему приходилось, тем скорее оттаивало его чёрствое сердце: он учился отвечать любовью на любовь.

Эту печальную и в то же время светлую историю написала современная американская писательница Кейт ДиКамилло, лауреат многочисленных премий в области детской литературы, автор любимой во всём мире повести о весёлой дворняге Уинн-Дикси.

УДК 821.111(73)-3-93
ББК 84(7Сое)

ISBN 978-5-389-00021-6 (рус.)
ISBN 978-0-7636-2589-2 (амер.)

Джейн Реш Томас,
которая подарила мне кролика
и придумала ему имя

Сердце бьётся моё,
разобьётся – и вновь оживает.
Я обязан пройти через тьму,
углубляясь во мрак,
без оглядки.

Стенли Куниц.
«Древо познания»
(Пер. Т. Тульчинской)

Глава первая

Однажды в доме на Египетской улице жил кролик. Сделан он был почти целиком из фарфора: у него были фарфоровые лапки, фарфоровая голова, фарфоровое тело и даже фарфоровый нос. Чтобы он мог сгибать фарфоровые локотки и фарфоровые коленки, суставы на лапках соединялись проволокой, и это позволяло кролику свободно двигаться.

Уши у него были сделаны из настоящей кроличьей шерсти, а внутри неё пряталась проволока, очень крепкая и гибкая, поэтому уши могли принимать самые разные положения, и тут же становилось понятно, какое у кролика настроение: веселится он, грустит или тоскует. Хвост у него тоже был сделан из настоящей кроличьей шерсти – такой пушистый, мягкий, вполне достойный хвост.

Звали кролика Эдвард Тюлейн. Он был довольно высок – сантиметров девяносто от кончиков ушей до кончиков лапок. Его нарисованные глаза сияли пронзительно голубым светом. Очень даже умные глазки.

В общем, Эдвард Тюлейн считал себя выдающимся созданием. Ему не нравились только его усики – длинные и элегантные, как и положено, но какого-то неизвестного происхождения. Эдвард был практически уверен, что это не кроличьи усы. Но вопрос о том, кому – какому малоприятному животному? – эти усики принадлежали изначально, был для Эдварда мучительным, и он не мог размышлять над ним слишком долго. Эдвард вообще не любил думать о неприятном. И не думал.

Хозяйкой Эдварда была темноволосая девочка десяти лет по имени Абилин Тюлейн. Она ценила Эдварда почти так же высоко, как Эдвард ценил сам себя. Каждое утро, собираясь в школу, Абилин одевалась сама и одевала Эдварда.

У фарфорового кролика был обширнейший гардероб: тут тебе и шёлковые костюмы ручной работы, и туфли, и ботинки из тончайшей кожи, сшитые специально по его кроличьей лапке. А ещё у него было великое множество шляп, и во всех этих шляпах были проделаны специальные дырочки для длинных и выразительных ушей Эдварда. Все его замечательно скроенные брюки имели по специальному карманчику для имевшихся у кролика золотых часов с цепочкой. Абилин сама заводила эти часы каждое утро.

– Ну вот, Эдвард, – говорила она, заведя часы, – когда длинная стрелка будет на двенадцати, а короткая на трёх, я вернусь домой. К тебе.

Она сажала Эдварда на стул в столовой и ставила стул так, чтобы Эдвард смотрел в окно и видел дорожку, которая ведёт к дому Тюлейнов. Часы она клала на его левую коленку. После этого она целовала кончики его несравненных ушей и уходила в школу, а Эдвард целый день глядел из окошка на Египетскую улицу, слушал тиканье часов и поджидал хозяйку.

Из всех времен года кролик больше всего любил зиму, потому что солнце зимой садилось рано, за окном столовой, где он сидел, быстро темнело, и Эдвард видел в тёмном стекле собственное отражение. И какое же это было замечательное отражение! Какой он вообще был изящный, замечательный кролик! Эдвард никогда не уставал восхищаться собственным совершенством.

А вечером Эдвард восседал в столовой вместе со всем семейством Тюлейн: с Абилин, её родителями и бабушкой, которую звали Пелегрина. Честно говоря, уши Эдварда едва виднелись из-за стола, а если ещё честнее, он не умел есть и мог лишь смотреть прямо перед собой – на свисающий со стола край ослепительно белой скатерти. Но всё-таки он сидел вместе со всеми. Принимал, так сказать, участие в трапезе как член семьи.

Родители Абилин находили совершенно очаровательным, что их дочка обращается с Эдвардом точно с живым существом и даже иногда просит их повторить какую-нибудь фразу, потому что Эдвард её якобы не расслышал.

– Папа, – говорила в таких случаях Абилин, – боюсь, Эдвард не расслышал твои последние слова.

Тогда папа Абилин поворачивался к Эдварду и медленно повторял сказанное – специально для фарфорового кролика. А Эдвард притворялся, что слушает, – естественно, чтобы угодить Абилин. Но, положа руку на сердце, он не очень-то интересовался тем, что говорят люди. Кроме того, ему не очень-то нравились родители Абилин и их снисходительное к нему отношение. Так относились к нему вообще все взрослые, за одним-единственным исключением.

Исключением была Пелегрина. Она говорила с ним, как и её внучка, на равных. Бабушка Абилин была очень стара. Старуха с большим острым носом и яркими, тёмными, сверкающими, как звёзды, глазами. Кролик Эдвард и на свет-то появился благодаря Пелегрине. Именно она заказала и самого кролика, и его шёлковые костюмы, и его карманные часы, и его очаровательные шляпки, и его выразительные гибкие уши, и его замечательную кожаную обувь, и даже суставчики на его лапках. Заказ выполнил кукольных дел мастер из Франции, откуда Пелегрина была родом. И она подарила кролика девочке Абилин на седьмой день рождения.

Именно Пелегрина приходила каждый вечер в спальню внучки, чтобы подоткнуть ей одеяло. То же самое она делала и для Эдварда.

– Пелегрина, ты расскажешь нам сказку? – спрашивала Абилин каждый вечер.

– Нет, милочка, не сегодня, – отвечала бабушка.

– А когда же? – спрашивала Абилин. – Когда?

– Скоро, – отвечала Пелегрина, – очень скоро.

А потом она выключала свет, и Эдвард с Абилин оставались в темноте.

– Эдвард, я люблю тебя, – говорила Абилин каждый вечер, после того как Пелегрина выходила из комнаты.

Девочка произносила эти слова и замирала, будто ждала, что Эдвард скажет ей что-нибудь в ответ.

Эдвард молчал. Он молчал, потому что, разумеется, не умел говорить. Он лежал в своей маленькой кроватке рядом с большой кроватью Абилин. Он смотрел в потолок, слушал, как дышит девочка – вдох, выдох, – и хорошо знал, что скоро она уснёт. Сам Эдвард никогда не спал, потому что глаза у него были нарисованные и закрываться не умели.

Иногда Абилин укладывала его не на спинку, а на бочок, и сквозь щели в шторах он мог смотреть в окно. В ясные ночи светили звёзды, и их далёкий неверный свет успокаивал Эдварда совершенно особым образом: он даже не понимал, почему так происходит. Часто он смотрел на звёзды всю ночь напролёт, пока темнота не растворялась в утреннем свете.

Глава вторая

Вот так и текли дни Эдварда – один за другим, и ничего особенно примечательного не происходило. Конечно, порой случались всякие события, но они были местного, домашнего значения. Однажды, когда Абилин ушла в школу, соседский пёс, пятнистый боксёр, которого почему-то звали Розочкой, явился в дом без приглашения, практически тайком, задрал лапу у ножки стола и описал белую скатерть. Сделав своё дело, он потрусил к стулу перед окном, обнюхал Эдварда, и кролик, не успев решить, приятно ли, когда тебя обнюхивает собака, оказался у Розочки в пасти: с одной стороны свисали уши, с другой – задние лапки. Пёс яростно тряс башкой, рычал и пускал слюну.

К счастью, проходя мимо столовой, мама Абилин заметила страдания Эдварда.

– А ну-ка, фу! Немедленно брось это! – закричала она псу.

От удивления Розочка послушался и выпустил кролика из пасти.

Шёлковый костюм Эдварда был весь перемазан слюной, и голова у него болела ещё несколько дней, но больше всего от этой истории пострадало его чувство собственного достоинства. Во-первых, мама Абилин назвала его «это», да ещё добавила «фу» – уж не о нём ли? Во-вторых, она куда больше рассердилась на собаку за испачканную скатерть, чем за непозволительное обращение с Эдвардом. Какая несправедливость!

Был и другой случай. В доме Тюлейнов появилась новая горничная. Ей так хотелось произвести на хозяев хорошее впечатление и показать, какая она прилежная, что она покусилась на Эдварда, который, по обыкновению, сидел на стульчике в столовой.

– Что здесь делает этот ушастый? – громко возмутилась она.

Слово «ушастый» Эдварду совсем не понравилось. Отвратительная, обидная кличка!

– А ну-ка, фу! Немедленно брось это! – закричала она псу.

Горничная наклонилась и заглянула ему в глаза.

– Хм... – Она выпрямилась и упёрла руки в боки. – По-моему, ты ничем не лучше остальных вещей в этом доме. Тебя тоже нужно хорошенько почистить и помыть.

И она пропылесосила Эдварда Тюлейна! Его длинные уши поочерёдно оказались в свирепо гудящей трубе. Выбивая из кролика пыль, она перетрогала своими лапищами всю его одежду и даже хвостик! Она безжалостно и грубо тёрла его лицо. В истовом старании не оставить на нём ни пылинки она даже засосала прямиком в пылесос золотые часы Эдварда. Звякнув, часы скрылись в шланге, но горничная не обратила на этот печальный звук никакого внимания.

Закончив, она аккуратно поставила стул обратно к столу и, не очень-то понимая, куда деть Эдварда, в конце концов запихнула его на полку к куклам в комнате Абилин.

– Так-то, – сказала горничная. – Тут тебе самое место.

Она оставила Эдварда сидеть на полке в неудобном и совершенно недостойном положении: уткнувшись носом в колени. А вокруг, точно стайка недружелюбных птичек, щебетали и хихикали куклы. Наконец домой из школы пришла Абилин. Обнаружив, что кролика в столовой нет, она принялась бегать из комнаты в комнату, выкрикивая его имя.

– Эдвард! – звала она. – Эдвард!

Разумеется, он никак не мог дать ей знать, где находится. Он не мог откликнуться на её зов. Он мог только сидеть и ждать.

Но Абилин его нашла и прижала к себе крепко-крепко, так крепко, что он чувствовал, как взволнованно бьётся, почти выпрыгивает из груди её сердце.

– Эдвард, – прошептала она, – Эдвард, я так тебя люблю. Я никогда с тобой не расстанусь.

Кролик тоже был очень взволнован. Но это не был трепет любви. В нём бурлило раздражение. Как посмели обращаться с ним таким неподобающим образом? Эта горничная поступила с ним как с неодушевлённым предметом – с какой-нибудь плошкой, поварёшкой или чайником. Единственной радостью, которую он испытал в связи с этой историей, было немедленное увольнение горничной.

Карманные часы Эдварда обнаружились в недрах пылесоса спустя какое-то время – погнутые, но всё-таки в рабочем состоянии. Папа Абилин с поклоном вернул их Эдварду.

– Сэр Эдвард, – сказал он, – по-моему, это ваша вещица.

Эпизоды с Розочкой и пылесосом оставались самыми большими драмами в жизни Эдварда вплоть до того вечера, когда отмечали одиннадцатый день рождения Абилин. Именно тогда, за праздничным столом, едва внесли пирог со свечками, впервые прозвучало слово «корабль».

◆

Глава третья

– Корабль называется «Королева Мэри», – сказал папа Абилин. – Ты, мама и я поплывём на нём в Лондон.

– А Пелегрина? – спросила Абилин.

– Я с вами не поеду, – отозвалась Пелегрина. – Я останусь здесь.

Эдвард их, разумеется, не слушал. Он вообще считал любые застольные беседы ужасно скучными. На самом деле он их принципиально не слушал, если находил хоть малейшую возможность отвлечься. Но во время разговора о корабле Абилин сделала нечто неожиданное, и это нечто заставило кролика навострить уши. Абилин вдруг потянулась к нему, сняла со стула, взяла на руки и прижала к себе.

– А Эдвард? – спросила она тоненько, и голос её задрожал.

– Что Эдвард? – сказала мама.

– Эдвард поплывёт с нами на «Королеве Мэри»?

– Ну, разумеется, поплывёт, если хочешь, хотя ты всё-таки слишком большая девочка, чтобы таскать за собой фарфорового кролика.

– Ерунду ты говоришь, – с весёлой укоризной сказал папа. – Кто защитит Абилин, если не Эдвард? Он едет с нами.

С рук Абилин Эдвард увидел стол совершенно иначе. Это же совсем другое дело, не то что снизу, со стула! Он оглядел сверкающие бокалы, сияющие тарелки, блестящее столовое серебро, увидел снисходительные усмешки на лицах родителей Абилин. А потом он встретился взглядом с Пелегриной.

Она смотрела на него, точно зависший в небе ястреб на крошечную мышку. Вероятно, кроличья шерсть на ушах и хвостике Эдварда, а может, и его усы сохранили какое-то смутное воспоминание о том времени, когда их хозяев-кроликов подстерегали охотники, потому что Эдвард вдруг содрогнулся.

– Ну конечно, – сказала Пелегрина, не сводя глаз с Эдварда, – кто же позаботится об Абилин, если там не будет её кролика?

В тот вечер Абилин, по обыкновению, спросила, расскажет ли бабушка сказку, и Пелегрина неожиданно ответила:

– Сегодня, юная леди, будет тебе сказка.

Абилин села в постели.

– Ой, тогда давай Эдварда тоже устроим тут рядышком, чтобы и он послушал!

– Да, так будет лучше, – сказала Пелегрина. – Я тоже думаю, что кролику следует послушать сегодняшнюю сказку.

Абилин посадила Эдварда рядом с собой в кровати, подоткнула ему одеяло и сказала Пелегрине:

– Всё, мы готовы.

– Итак... – Пелегрина откашлялась. – Итак, – повторила она, – сказка начинается с того, что жила-была принцесса.

– Красивая? – спросила Абилин.

– Очень красивая.

– Ну какая она была?

– А ты слушай, – сказала Пелегрина. – Всё сейчас и узнаешь.

Глава четвёртая

– Жила-была прекрасная принцесса. Её красота сияла так же ярко, как звёзды на безлунном небе. Но был ли хоть какой-то толк в её красоте? Да никакого, ровным счётом никакого толку.

– А почему никакого толку? – спросила Абилин.

– Потому что эта принцесса никого не любила. Она вообще не ведала, что такое любовь, хотя её любили многие.

В этот момент Пелегрина прервала свой рассказ и посмотрела на Эдварда в упор – прямо в его нарисованные глаза. По его телу пробежала дрожь.

– Так вот... – сказала Пелегрина, всё ещё глядя на Эдварда.

– И что же случилось с этой принцессой? – спросила Абилин.

– Так вот, – повторила Пелегрина, повернувшись к внучке, – король, её отец, сказал, что принцессе пора выходить замуж. Вскоре из соседнего королевства к ним приехал принц, увидел принцессу и тут же в неё влюбился. Он подарил ей кольцо из чистого золота. Надев кольцо ей на палец, он сказал ей самые главные слова: «Я люблю тебя». И знаешь, что сделала принцесса?

Абилин покачала головой.

– Она проглотила это кольцо. Сняла его с пальца и проглотила. И сказала: «Вот вам ваша любовь!» Она убежала от принца, покинула замок и отправилась в самую чащу леса. И вот тогда...

– Что тогда? – спросила Абилин. – Что с ней случилось?

– Принцесса заблудилась в лесу. Она бродила там много-много дней. Наконец она пришла к маленькой хижине, постучалась и сказала: «Впустите меня, пожалуйста, я замёрзла». Но ответа не было. Она снова постучала и сказала: «Впустите меня, я так хочу есть». И тут послышался страшный голос: «Входи, если охота».

Красавица принцесса вошла и увидела ведьму. Ведьма сидела за столом и пересчитывала золотые слитки. «Три тысячи шестьсот двадцать два», – сказала она. «Я заблудилась», – сказала прекрасная принцесса. «Ну и что? – отозвалась ведьма. – Три тысячи шестьсот двадцать три». «Я проголодалась», – сказала принцесса. «Меня это ни капельки не касается, – сказала ведьма. – Три тысячи шестьсот двадцать четыре». «Но я прекрасная принцесса», – напомнила принцесса. «Три тысячи шестьсот двадцать пять», – ответила ведьма. «Мой отец, – продолжала принцесса, – могущественный король. Вы должны мне помочь, иначе для вас это очень плохо кончится». «Плохо кончится? – удивилась ведьма. Тут она впервые оторвала взгляд от золотых слитков и посмотрела на принцессу: – Ну ты нахалка! Разговариваешь со мной в таком тоне. Что ж, в таком случае мы сейчас побеседуем о том, что и для кого плохо кончится. И как именно. Ну-ка, назови мне имя того, кого любишь». «Люблю? – возмутилась принцесса и топнула ножкой. – Почему все всегда говорят про любовь?» «Кого ты любишь? – сказала ведьма. – Немедленно говори имя». «Я никого не люблю», – гордо сказала принцесса. «Ты меня разочаровала, – сказала ведьма. Она подняла руку и произнесла одно-единственное слово: – Карррамболь». И прекрасная принцесса превратилась в бородавочника – мохнатую чёрную свинью с клыками. «Что вы со мной сделали?» – завопила принцесса. «Ты по-прежнему хочешь поговорить о том, что для кого плохо кончится? – сказала ведьма и снова принялась считать золотые слитки. – Три тысячи шестьсот двадцать шесть».

Бедная принцесса, превратившаяся в бородавочника, выбежала из хижины и снова скрылась в лесу.

В это время лес прочёсывали королевские гвардейцы. Кого, ты думаешь, они искали? Разумеется, прекрасную принцессу. И когда они встретили ужасного бородавочника, они его просто застрелили. Пиф-паф!

– Нет, не может быть! – воскликнула Абилин.

– Может, – сказала Пелегрина. – Застрелили. Они отнесли этого бородавочника в замок, там повариха вскрыла ему брюхо и нашла у него в желудке кольцо из чистого золота. В тот вечер в замке собралось очень много голодных людей, и все они ждали, чтобы их накормили. Так что поварихе было некогда любоваться кольцом. Она просто надела его на палец и принялась дальше разделывать тушу, чтобы приготовить мясо. А кольцо, которое проглотила прекрасная принцесса, сияло на пальце у поварихи. Конец.

– Конец? – негодующе воскликнула Абилин.

– Ну конечно, – сказала Пелегрина. – Конец сказки.

– Не может быть!

– Почему же не может?

– Ну, потому что сказка кончилась слишком быстро и потому что никто не жил счастливо и не умер в один день, вот почему.

– Ах, вот в чём дело, – кивнула Пелегрина. И замолчала. А потом произнесла: – Разве может история кончиться счастливо, если в ней нет любви? Ну ладно. Уже поздно. Тебе пора спать.

Пелегрина забрала Эдварда у Абилин. Она положила кролика в его кроватку и накрыла одеялом до самых усиков. Потом наклонилась к нему поближе и прошептала:

– Ты меня разочаровал.

Старая дама вышла, а Эдвард остался лежать в своей кроватке.

Он смотрел в потолок и думал, что сказка получилась какая-то бессмысленная. Впрочем, разве не все сказки таковы? Он вспомнил, как принцесса превратилась в бородавочника. Что ж, печально. И совершенно надуманно. Но, в общем, ужасная судьба.

– Эдвард, – сказала вдруг Абилин, – я люблю тебя и всегда буду любить, не важно, сколько мне будет лет.

«Да-да, – подумал Эдвард, глядя в потолок, – конечно».

Он разволновался, а отчего – и сам не знал. Ещё он сожалел, что Пелегрина положила его на спину, а не на бок и он не может смотреть на звёзды.

А потом он вспомнил, как описывала Пелегрина прекрасную принцессу. Её красота сияла ярко, как звёзды на безлунном небе. Непонятно почему, но Эдвард вдруг утешился. Он стал повторять про себя эти слова: *ярко, как звёзды на безлунном небе... ярко, как звёзды на безлунном небе...* Он повторял их снова и снова, пока наконец не забрезжил утренний свет.

◆

Глава пятая

В доме на Египетской улице царила суета: Тюлейны готовились к путешествию в Англию. Чемоданчик Эдварда собирала Абилин. Она приготовила ему в дорогу самые изящные костюмы, самые лучшие шляпы и три пары ботинок – одним словом, всё, чтобы кролик покорил своей элегантностью весь Лондон. Прежде чем положить каждую следующую вещь в чемодан, девочка показывала её Эдварду.

– Как тебе эта рубашка с этим костюмом? – спрашивала она. – Годится?

Или:

– Ты хотел бы взять с собой чёрный котелок? Он тебе очень идёт. Берём?

И вот наконец одним прекрасным майским утром Эдвард с Абилин и мистер и миссис Тюлейн оказались на борту корабля. Пелегрина стояла на пристани. На голове у неё красовалась широкополая, украшенная цветами шляпа. Пелегрина не сводила с Эдварда тёмных сверкающих глаз.

– До свидания, – закричала Абилин бабушке. – Я люблю тебя!

Корабль отчалил. Пелегрина помахала Абилин.

– До свидания, юная леди, – закричала она, – до свидания!

И тут Эдвард почувствовал, что глаза у него повлажнели. Наверное, на них попали слёзы Абилин. Зачем она прижимает его к себе так сильно? Когда она его так тискает, у него всякий раз мнётся одежда. Ну вот наконец все оставшиеся на берегу люди, включая Пелегрину, скрылись из виду. И Эдвард об этом ничуть не жалел.

Как и ожидалось, Эдвард Тюлейн вызвал немалое любопытство всех пассажиров парохода.

– Какой занятный кролик! – Пожилая дама с тремя нитями жемчуга на шее наклонилась, чтобы получше рассмотреть Эдварда.

– Спасибо большое, – сказала Абилин.

Несколько маленьких девочек, которые тоже путешествовали на этом корабле, бросали на Эдварда страстные, проникновенные взгляды. Наверное, они очень хотели его потрогать или подержать. И в конце концов попросили об этом Абилин.

– Нет, – сказала Абилин, – боюсь, он не из тех кроликов, которые легко идут на руки к незнакомцам.

Два мальчика, братья Мартин и Эймос, тоже весьма заинтересовались Эдвардом.

– А что он умеет делать? – спросил Мартин у Абилин на второй день пути и ткнул пальцем в Эдварда, который просто сидел в шезлонге, вытянув длинные ноги.

– Ничего не умеет, – ответила Абилин.

– Он хоть заводной? – спросил Эймос.

– Нет, – ответила Абилин, – он не заводится.

– А какой тогда от него прок? – спросил Мартин.

– Прок? Он же Эдвард! – объяснила Абилин.

– Разве это прок? – фыркнул Эймос.

– Никакого прока, – согласился Мартин. А потом, глубокомысленно помолчав, заявил: – Я бы ни за что не позволил, чтоб меня так наряжали.

– Я тоже, – сказал Эймос.

– А у него одежда снимается? – спросил Мартин.

– Ну конечно снимается, – ответила Абилин. – У него очень много разных одёжек. И пижама у него своя есть, шёлковая.

Эдвард, по обыкновению, не обращал внимания на все эти пустые разговоры. Дул лёгкий ветерок, и повязанный вокруг его шеи шарф красиво развевался. На голове у кролика была соломенная шляпа. Он думал, что выглядит потрясающе.

Поэтому для него было полной неожиданностью, когда его вдруг схватили, сорвали с него шарф, а потом и курточку, и даже штаны. Он услышал, как, ударившись о палубу, звякнули его часы. Потом, когда его уже держали вверх ногами, он заметил, что часы весело катятся к ногам Абилин.

– Ты только глянь! – воскликнул Мартин. – У него даже трусы есть! – И он поднял Эдварда повыше, чтобы Эймос мог разглядеть трусы.

– Снимай, – завопил Эймос.

– Не смейте!!! – закричала Абилин.

Но Мартин стянул с Эдварда и трусы.

Теперь уж Эдвард не мог не обращать на всё это внимания. Он пришёл в полнейший ужас. Ведь он был совершенно голым, только шляпа осталась на голове, а пассажиры вокруг глазели – кто с любопытством, кто смущённо, а кто и откровенно насмешливо.

– Потому что эта принцесса никого не любила. Она вообще не ведала, что такое любовь, хотя её любили многие.

Он уходил под воду всё глубже, глубже, глубже...

– Отдайте! – закричала Абилин. – Это мой кролик!

– Обойдёшься! Мне кидай, мне, – сказал Эймос брату и хлопнул в ладоши, а потом растопырил руки, готовясь ловить. – Бросай же!

– Ну, пожалуйста! – кричала Абилин. – Не бросайте. Он же фарфоровый. Он разобьётся.

Но Мартин всё-таки бросил.

И Эдвард, совершенно голый, полетел по воздуху. Только мгновение назад кролик думал, что самое худшее, что может приключиться в жизни, – это оказаться голым на борту корабля в присутствии всех этих незнакомых людей. Но оказалось, что он не прав. Гораздо хуже, когда тебя, голого, ещё и бросают, и ты перелетаешь из рук одного грубого, гогочущего мальчишки к другому.

Эймос поймал Эдварда и победоносно поднял его вверх.

– Назад кидай! – закричал Мартин.

Эймос занёс было руку, но, когда он уже собрался бросить Эдварда, на обидчика налетела Абилин и боднула его головой в живот. Мальчишка покачнулся.

Так вот и получилось, что Эдвард не полетел назад в протянутые руки Мартина.

Вместо этого Эдвард Тюлейн полетел за борт.

Глава шестая

Как умирают фарфоровые кролики?

А может фарфоровый кролик захлебнуться и утонуть?

А шляпа у меня всё ещё на голове?

Именно об этом спрашивал себя Эдвард, ещё не коснувшись водной глади. Солнце стояло высоко в небе, и откуда-то из далёкого далека Эдвард услышал голос.

– Эдвард, – кричала Абилин, – вернись!

«Вернуться? Интересно, как? Вот глупая», – подумал Эдвард.

Пока кролик летел вверх тормашками за борт, он умудрился краешком глаза посмотреть на Абилин в последний раз. Она стояла на палубе и держалась за поручень одной рукой. А в другой руке у неё была лампа – нет, не лампа, а какой-то сияющий шар. Или диск? Или... Это же его золотые карманные часы! Вот что держит Абилин в левой руке! Она держала их высоко над головой, и в них отражался солнечный свет.

Мои карманные часы. Как же я без них?

Потом Абилин исчезла из виду, а кролик ударился о воду, причём с такой силой, что шляпа с его головы всё-таки слетела.

«Ага, один ответ получен», – подумал Эдвард, глядя, как ветер уносит его шляпу.

А потом он начал тонуть.

Он уходил под воду всё глубже, глубже, глубже. И даже не закрывал глаз. Не потому что он был такой храбрый, а потому что у него просто не было выбора. Его нарисованные, незакрывающиеся глаза смотрели, как голубая вода превращается в зелёную... в синюю... Глаза смотрели на воду, пока она наконец не почернела, как ночь.

Эдвард опускался всё ниже и ниже и в какой-то момент сказал себе: «Ну, если бы мне было суждено захлебнуться и утонуть, наверное, я бы уже давно захлебнулся и утонул».

Высоко над ним бодро уплыл прочь океанский лайнер с Абилин на борту, а фарфоровый кролик опустился на дно океана. И там, уткнувшись лицом в песок, он испытал своё первое истинное, неподдельное чувство.

Эдвард Тюлейн испугался.

◆

Глава седьмая

Он сказал себе, что Абилин, разумеется, обязательно придёт и найдёт его. Он уверял себя, что надо просто ждать.

Это всё равно, что ждать Абилин из школы. Я притворюсь, будто сижу в столовой в доме на Египетской улице и слежу за стрелками часов: как маленькая подбирается к трём часам, а длинная – к двенадцати. Жаль, у меня нет с собой часов и не по чему проверять время. Ладно, это не так уж важно. Она же придёт в конце концов, причём очень скоро.

Шли часы, дни, недели, месяцы.

Абилин всё не шла.

И Эдвард, поскольку ему было совершенно нечего делать, начал думать. Он думал о звёздах и представлял, как смотрит на них из окна своей спальни.

Интересно, почему они сияют так ярко? И сияют ли они для кого-нибудь теперь, когда я их не вижу. Никогда, никогда в жизни я не был так далеко от звёзд, как сейчас.

Ещё он размышлял над судьбой прекрасной принцессы, которая превратилась в бородавочника. А почему, собственно, она превратилась в бородавочника? Да потому, что её заколдовала ужасная ведьма.

И тут кролик вспомнил про Пелегрину. И почувствовал, что каким-то образом – только он не знал, каким именно, – она виновата в том, что с ним произошло. Ему даже показалось, что никакие не мальчишки, а она сама бросила его за борт.

Всё-таки она очень похожа на ведьму из её собственной сказки. Да нет, она просто и есть эта самая ведьма. В бородавочника она его, конечно, не превратила, но всё равно наказала. А за что – ему было невдомёк.

Буря началась на двести девяносто седьмой день злоключений Эдварда. Разбушевавшаяся стихия подняла кролика со дна и закружила его в диком, сумасшедшем танце, бросая то туда, то сюда.

Помогите!

Штормило так сильно, что на мгновение его даже выбросило из моря вверх, в воздух. Кролик успел заметить набрякшее злое небо и услышать, как свистит в ушах ветер. И в этом свисте ему померещился смех Пелегрины. Тут его бросило обратно в пучину – даже прежде чем он успел понять, что воздух, даже штормовой и грозовой, много лучше, чем вода. Его мотало вверх-вниз, вперёд-назад до тех пор, пока буря наконец не стихла. Эдвард почувствовал, что он снова медленно опускается на дно океана.

Помогите! Помогите! Я так не хочу обратно, вниз. Помогите же мне!

Но он всё опускался – ниже, ниже, ниже...

Внезапно огромная рыбацкая сеть зацепила кролика и потащила его на поверхность. Сеть поднималась выше и выше, и вот уже Эдварда ослепил дневной свет. Он очутился в воздухе и приземлился на палубу вместе с рыбой.

– Ой, гляди-ка, что это? – сказал голос.

– Ну уж не рыба, – сказал другой голос. – Это точно.

Оказалось, что Эдвард совсем отвык от солнца, и ему было трудно смотреть вокруг. Но вот он различил сначала фигуры, потом лица. И понял, что перед ним два человека: один молодой, другой старый.

– Похоже, игрушка, – сказал седой старик. Он поднял Эдварда за передние лапы и стал рассматривать. – Верно, кролик. У него и усы есть, и уши кроличьи. Как у кролика, торчком стоят. Ну, раньше стояли.

– Да, точно, ушастый, – сказал молодой парень и отвернулся.

– Отнесу-ка я его домой, отдам Нелли. Пусть починит, в порядок приведёт. Подарим какому-нибудь мальцу.

Старик усадил Эдварда, чтоб он мог смотреть на море. Эдвард, конечно, был признателен за столь учтивое обращение, но, с другой стороны, он уже так устал от воды, что глаза б его на это море-океан не глядели.

– Ну вот, сиди тут, – сказал старик.

Они потихоньку приближались к берегу. Эдвард ощущал, как пригревает солнышко, как обвевает ветерок остатки шерсти на его ушах, и что-то вдруг переполнило, стеснило его грудь, какое-то удивительное, чудесное чувство.

Он был счастлив, что жив.

– Ты только погляди на этого ушастого, – сказал старик. – Похоже, ему нравится, верно?

– Это точно, – отозвался парень.

На самом деле Эдвард Тюлейн был так счастлив, что даже не обиделся на них за то, что эти люди упорно называли его «ушастым».

Глава восьмая

Когда они причалили к берегу, старый рыбак закурил трубку и так, с трубкой в зубах, и направился домой, усадив Эдварда на левое плечо как самый главный трофей. Он шёл, словно герой-завоеватель, придерживая кролика мозолистой рукой, и тихонько с ним разговаривал.

– Нелли тебе понравится, – сказал старик. – Ей выпало в жизни много печалей, но она у меня отличная девчонка.

Эдвард смотрел на городок, укутанный сумерками, точно одеялом, на тесно прилепившиеся друг к дружке домики, на огромный океан, который простирался перед ними, и думал, что готов жить где угодно и с кем угодно, лишь бы не лежать на дне.

– Эй, привет, Лоренс, – окликнула старика женщина с порога магазинчика. – Что там у тебя?

– Отличный улов, – ответил рыбак. – Свежайший кролик прямо из моря. – Он приподнял шапку, приветствуя хозяйку магазина, и пошёл дальше.

– Ну вот, почти пришли, – сказал наконец рыбак и, вынув трубку изо рта, указал ею на стремительно темнеющий небосклон. – Вон, видишь, Полярная звезда. Если знаешь, где она, тебе всё нипочём, никогда не заблудишься.

Эдвард принялся рассматривать эту маленькую звёздочку. Неужели у всех звёзд есть свои имена?

– Нет, вы меня только послушайте! – сказал сам себе рыбак. – Надо же, болтаю с игрушкой. Ну ладно, будет, довольно.

И, по-прежнему придерживая Эдварда на крепком плече, рыбак прошёл по тропинке к маленькому зелёному домику.

– Эй, Нелли, – сказал он. – Я тебе кое-что из моря принёс.

– Ничего мне не нужно из твоего моря, – послышался голос.

– Ну, ладно, Неллечка, перестань. Посмотри лучше, что тут у меня.

Из кухни, вытирая руки о фартук, вышла старушка. Увидев Эдварда, она всплеснула руками, захлопала в ладоши и сказала:

– Бог мой, Лоренс, ты притащил мне кролика!

– Прямиком из моря, – сказал Лоренс.

Он снял Эдварда с плеча, поставил на пол и, придерживая за лапки, заставил низко поклониться Нелли.

– Господи боже мой! – воскликнула Нелли и стиснула руки на груди.

Лоренс вручил ей Эдварда.

Нелли взяла кролика, придирчиво осмотрела его с ног до головы и улыбнулась.

– Господи, бывает же на свете такая красота!

Эдвард тут же решил, что Нелли – хороший человек.

– Да она красавица, – выдохнула Нелли.

Эдвард пришёл в замешательство. Она? Кто она? Он, Эдвард, безусловно, красавец, но никак не красавица.

– Как же мне её назвать-то?

– Может, Сюзанной? – сказал Лоренс.

– Да, годится, – сказала Нелли. – Пусть будет Сюзанна. – И она посмотрела прямо в глаза Эдварду. – Сюзанне надо перво-наперво справить новую одёжку, верно?

Глава девятая

Вот так Эдвард Тюлейн и стал Сюзанной. Нелли сшила ему несколько одёжек: для особо торжественных случаев – розовое платье с оборками, на каждый день – одежду попроще из ткани в цветочек, а ещё длинную белую ситцевую ночную рубашку. Кроме того, она починила ему уши: просто общипала остатки старой свалявшейся шерсти и сделала пару новёхоньких ушек из бархата.

Закончив, Нелли сказала:

– Ой, какая же ты хорошенькая!

Сначала Эдвард был в полном смятении. Он всё-таки кролик, а не крольчиха, он – мужчина! Он совсем не хочет одеваться по-девчачьи. Кроме того, одежда, сшитая Нелли, была очень проста, даже та, которая предназначалась для торжественных случаев. Ей не хватало элегантности и замечательной выделки той, прежней, одежды, к которой Эдвард привык в доме Абилин. Но потом он вспомнил, как лежал на дне океана, уткнувшись лицом в песок, а звёзды были далеко-далеко. И он сказал себе: «Да какая разница, девчонка или мальчишка? Подумаешь, похожу в платье».

Вообще ему отлично жилось в маленьком зелёном домике с рыбаком и его женой. Нелли любила печь разные вкусности и целые дни проводила на кухне. Эдварда она сажала на высокий столик, прислоняла к банке с мукой и расправляла ему платьице, чтобы оно прикрывало коленки. А уши его она разворачивала так, чтобы он мог её хорошо слышать.

Потом она принималась за работу: ставила опару для хлеба, раскатывала тесто для печенья и пирожков. И вскоре кухня наполнялась ароматом пекущейся сдобы и сладостными запахами корицы, сахара и гвоздики. Окна запотевали. Работая, Нелли без умолку болтала.

Она рассказала Эдварду о своих детях: о дочери Лолли, которая работает секретаршей, и о мальчиках. Ральф сейчас служит в армии, а Раймонд умер от воспаления лёгких давным-давно.

– Он захлебнулся, у него была вода внутри тела. Это совершенно ужасно, это невыносимо, хуже ничего не бывает, – говорила Нелли, – когда кто-то, кого ты так любишь, умирает прямо у тебя на глазах, а ты ничем не можешь ему помочь. Мой мальчик снится мне почти каждую ночь.

Нелли вытирала уголки глаз тыльной стороной руки. И улыбалась Эдварду.

– Ты, Сюзанна, небось думаешь, что я совсем с ума сошла, с игрушкой разговариваю. Но мне-то кажется, что ты меня и вправду слушаешь.

И Эдвард с удивлением обнаружил, что он действительно слушает. Прежде, когда с ним разговаривала Абилин, все слова казались ему скучными и бессмысленными. Теперь же рассказы Нелли казались ему самыми важными на свете, и он слушал, будто сама жизнь его зависела от того, что говорит эта старушка. Он даже подумал, что, может быть, в его фарфоровую голову как-то проник песок со дна океана и в голове что-то повредилось.

А по вечерам домой с моря возвращался Лоренс, и они садились есть. Эдвард сидел за столом вместе с рыбаком и его женой на старом высоком детском стульчике, и хотя сначала это его ужасало (ведь детские стульчики предназначены для детей, а не для элегантных кроликов), но скоро он ко всему вполне привык. Ему нравилось сидеть, не уткнувшись в скатерть, как когда-то в доме Тюлейнов, а высоко, чтобы его взору представал весь стол. Ему нравилось во всём принимать участие.

Каждый вечер, после ужина, Лоренс обыкновенно говорил, что, пожалуй, надо прогуляться, подышать свежим воздухом, и предлагал «Сюзанне» составить ему компанию. Он сажал Эдварда себе на плечо, как в тот первый вечер, когда нёс его с моря домой, к Нелли.

И вот они выходили на улицу. Придерживая Эдварда на плече, Лоренс раскуривал трубку. Если небо было ясным, старик начинал перечислять созвездия, указывая на них трубкой: «Андромеда, Пегас...» Эдварду нравилось смотреть на звёзды и нравились названия созвездий. Они звучали чудесной музыкой в его бархатных ушках.

Но иногда, глядя в ночное небо, Эдвард вспоминал Пелегрину. Ему снова виделись её пылающие чёрные глаза, и в душу закрадывался холодок.

«Бородавочники, – думал он. – Ведьмы».

Потом Нелли укладывала его спать. Она пела Эдварду колыбельную – песенку про птицу-пересмешника, которая не умела петь, и про бриллиантовое кольцо, которое не сияло, и звуки её голоса успокаивали кролика. Он забывал про Пелегрину.

Довольно долго жизнь его была сладкой и беспечальной.

А потом дочка Лоренса и Нелли приехала навестить родителей.

– Да она красавица, – выдохнула Нелли.

Эдварду очень нравилось, когда Бык пел.

Глава десятая

Лолли оказалась неказистой тёткой с очень громким голосом и очень яркой помадой на губах. Она тут же заметила Эдварда на кушетке в гостиной.

– Что это такое? – Поставив чемодан, она схватила Эдварда за ногу. Он болтался в воздухе вверх тормашками.

– Это Сюзанна, – сказала Нелли.

– Какая ещё Сюзанна? – возмутилась Лолли и встряхнула Эдварда.

Подол платья закрывал лицо кролика, и он ничего не видел. Но в нём уже кипела глубокая и непримиримая ненависть к Лолли.

– Её нашёл отец, – сказала Нелли. – Она попалась в сети, и на ней не было никакой одёжки, так что я нашила ей нарядов.

– Ты с ума спятила? – завопила Лолли. – Зачем кролику одежда?

– Ну… – беспомощно протянула Нелли. Её голос дрогнул. – Мне показалось, этой крольчихе нужна одежда.

Лолли бросила Эдварда обратно на кушетку. Он лежал вниз лицом, забросив лапы за голову, и подол платья по-прежнему закрывал его лицо. Там он и оставался на протяжении всего ужина.

– Зачем вы вытащили этот доисторический детский стульчик? – шумно возмущалась Лолли.

– Не обращай внимания, – сказала Нелли. – Твой отец как раз взялся его подклеить. Верно, Лоренс?

– Угу. – Лоренс не отрывал взгляда от тарелки.

Разумеется, после ужина Эдвард не пошёл с Лоренсом на улицу покурить под звёздами. И в первый раз за то время, что Эдвард жил у Нелли, она не спела ему колыбельную. В тот вечер Эдвард был позабыт-позаброшен, а наутро Лолли схватила его, сдёрнула подол с его лица и пристально посмотрела ему в глаза.

– Околдовал ты моих стариков, так, что ли? – сказала Лолли. – В городке поговаривают, что они носятся с тобой как с крольчонком. Или с ребёнком.

Эдвард тоже посмотрел на Лолли. На её кроваво-красную губную помаду. И почувствовал, как на него повеяло холодом.

Может, сквозняк? Где-то открыли дверь?

– Ну, меня-то ты не проведёшь! – Лолли снова встряхнула Эдварда. – Мы с тобой сейчас прогуляемся. Вдвоём.

Держа Эдварда за уши, Лолли прошла на кухню и бросила его в мусорное ведро головой вниз.

– Слышь, мамань, – закричала Лолли, – я возьму фургон. Мне тут проехаться надо, по делам.

– Конечно, дорогая, бери, – заискивающе сказала Нелли. – До свиданья.

«До свиданья», – подумал Эдвард, когда Лолли поставила в фургон ведро с мусором.

– До свиданья, – повторила Нелли на этот раз погромче.

И Эдвард почувствовал резкую боль где-то глубоко-глубоко в своей фарфоровой груди.

Первый раз в жизни он понял, что у него есть сердце.

И сердце его повторяло два слова: *Нелли, Лоренс.*

Глава одиннадцатая

Так Эдвард оказался на свалке. Он лежал среди апельсиновой кожуры, спитого кофе, тухлой буженины, мятых картонных коробок, рваного тряпья и лысых автомобильных покрышек. В первую ночь он лежал ещё наверху, не заваленный мусором, поэтому мог смотреть на звёзды и понемногу успокаиваться от их слабого мерцания.

А утром пришёл какой-то человек, этакий коротышка, и полез на мусорную кучу. На самом верху он остановился, засунул руки под мышки, захлопал локтями, словно крыльями, и принялся вопить:

– Кто я? Я Эрнст, Эрнст – король мира. Почему я король мира? Потому что я король свалок. А мир состоит из свалок. Ха-ха! Поэтому я и есть Эрнст – король мира.

И он снова громко, по-птичьи, вскрикнул.

Эдвард был склонен согласиться с оценкой, которую дал миру Эрнст. Похоже, мир и в самом деле состоит из отбросов и мусора – ведь в течение всего следующего дня ему на голову валился всё новый и новый мусор. Так Эдвард и остался лежать, заживо погребённый под бумажками и объедками. Неба он больше не видел. И звёзд тоже. Он вообще ничего не видел.

Единственное, что придавало Эдварду силы и даже надежду, была мысль о том, как он когда-нибудь найдёт Лолли и хорошенько ей отомстит. Он оттаскает её за уши. И похоронит заживо под грудой мусора.

Но, когда прошло сорок дней и сорок ночей, вес и особенно запах мусора, который нарос за это время со всех сторон, совсем затуманил мысли Эдварда, и он перестал думать о мести. Он вообще перестал думать и предался отчаянию. Его нынешнее положение было хуже, гораздо хуже, чем когда-то на дне океана. Хуже не из-за мусора, а потому, что Эдвард был теперь совсем другим кроликом. Он не взялся бы объяснить, чем он так сильно отличается от того, прежнего Эдварда, но знал, что сильно переменился. Ему снова вспомнилась сказка старухи Пелегрины про принцессу, которая никого не любила. Ведьма превратила ее в бородавочника именно потому, что принцесса никого не любила. Теперь-то он это хорошо понял.

И снова в ушах у него звучал голос Пелегрины. «Ты меня разочаровал», – говорила она.

«Ну почему? – спрашивал он её сейчас. – Чем я тебя разочаровал?»

Впрочем, он знал ответ. Он недостаточно крепко любил Абилин. А теперь жизнь их вовсе разлучила, и он уже никогда не сможет доказать Абилин свою любовь. И Нелли с Лоренсом тоже остались в прошлом. Эдвард очень по ним тосковал. Он хотел быть с ними.

Наверное, это и есть любовь.

День шёл за днём, и Эдвард мог отсчитывать время только благодаря Эрнсту, который каждое утро, на рассвете, забирался на кучу мусора и провозглашал себя королём мира.

На сто восьмидесятый день, проведённый на свалке, Эдварду пришло избавление, причём в самом неожиданном обличье. Мусор вокруг слегка зашевелился, и кролик услышал собачье сопение – сначала далеко, а потом совсем рядом. Он чувствовал, что собака роет и роет, и вот уже мусор заходил ходуном, и на лицо Эдварду упали ласковые лучи закатного солнца.

Глава двенадцатая

Эдвард недолго наслаждался дневным светом, потому что собака вдруг нависла прямо над ним: тёмная, облезлая, она закрыла собою всё. Собака вытащила Эдварда из мусора за уши, потом уронила, потом снова подобрала. На этот раз она схватила кролика поперёк живота и стала яростно мотать его из стороны в сторону. Потом, глухо заурчав, собака снова выронила Эдварда из пасти и посмотрела ему в глаза. Эдвард тоже взглянул на неё внимательно.

– Эй, псина, а ну-ка убирайся отсюда! – раздался голос короля свалок и, соответственно, всего мира.

Ухватив Эдварда за розовое платьице, собака пустилась наутёк.

– Это же моё, моё, всё на свалке моё! – закричал Эрнст. – А ну-ка отдай немедленно!

Но собака и не думала останавливаться.

Светило солнце, и кролику стало весело. Кто из знавших Эдварда в прежние времена мог предположить, что он будет счастлив именно сейчас – весь заляпанный мусором, да ещё в девчачьем платье, да ещё в пасти у слюнявой собаки, улепётывающей от безумного короля свалок?

Но Эдвард был счастлив.

Собака всё бежала и бежала – до самой железной дороги, потом перебралась через пути, и там под кряжистым деревом, среди кустов, бросила Эдварда к чьим-то огромным ногам в огромных ботинках.

И залаяла.

Эдвард взглянул вверх и увидел, что ноги принадлежат великану с длинной тёмной бородой.

– Что ты притащила, Люси? – спросил великан.

Наклонившись, он крепко взял Эдварда за пояс и поднял с земли.

– Люси, – сказал великан, – я прекрасно знаю, что ты обожаешь пирог с крольчатиной.

Люси гавкнула.

– Ну, знаю, знаю, перестань лаять. Пирог с крольчатиной – это настоящее счастье, одно из немногих удовольствий в наше время.

Люси ещё раз гавкнула в надежде получить пирог.

– И то, что ты притащила сюда, то, что ты так любезно доставила к моим ногам, действительно кролик, но даже лучший шеф-повар в мире не сможет сделать из него пирог с крольчатиной.

Люси глухо заворчала.

– Эх, глупышка, этот кролик сделан из фарфора. – Великан поднёс Эдварда поближе к глазам. И они посмотрели друг на друга в упор. – Ну что? Ты же правда фарфоровый? – Он шутливо встряхнул Эдварда. – Ты ведь чья-то игрушка, верно? И тебя разлучили с ребёнком, который тебя крепко любит.

Эдвард снова почувствовал острую боль где-то в грудной клетке. И вспомнил об Абилин. Он вспомнил тропинку, которая вела к дому на Египетской улице. Вспомнил, как заходило солнце, сгущались сумерки и Абилин бежала к нему по этой тропинке.

Да, верно, Абилин очень его любила.

– Итак, Малоун, – сказал великан и откашлялся. – Как я разумею, ты потерялся. Мы с Люси тоже потерялись.

Услышав своё имя, Люси тявкнула.

– Ну так, может, ты не против скитаться по миру вместе с нами? – спросил великан. – Я, например, считаю, что намного приятнее потеряться не в одиночку, а с добрыми друзьями. Меня зовут Бык. А Люси, как ты, наверное, уже сообразил, – моя собака. Так ты не против бродяжить в нашей компании?

Бык мгновение подождал, глядя на Эдварда, а потом, всё ещё держа его за талию, большим пальцем наклонил ему голову – будто Эдвард кивнул в знак согласия.

– Гляди-ка, Люси, он говорит «да», – сказал Бык. – Малоун согласился путешествовать с нами. Правда, здорово?

Люси затанцевала у ног Быка, помахивая хвостом и радостно гавкая.

Так Эдвард отправился в путь-дорогу с бродягой и его собакой.

◆

Глава тринадцатая

Они путешествовали пешком. А ещё – в пустых железнодорожных вагонах. Они всегда были в пути, всегда куда-то двигались.

– Но, в сущности, – говорил Бык, – мы всё равно никуда не попадём. В этом, друг мой, и заключается ирония нашего постоянного движения.

Эдвард путешествовал в свёрнутом в рулон спальном мешке Быка: оттуда торчали только его голова и уши. Бык всегда перекидывал мешок через плечо так, чтобы кролик смотрел не вниз и не вверх, а назад, на оставшуюся позади дорогу.

Ночевали прямо на земле, глядели на звёзды. Люси, поначалу крепко разочарованная тем, что кролик оказался несъедобен, теперь очень привязалась к Эдварду и спала, свернувшись возле него калачиком; иногда она даже клала морду на его фарфоровый живот, и тогда все звуки, которые она издавала во сне – а она то ворчала, то повизгивала, то глухо рычала, – отзывались внутри Эдварда. И к своему удивлению, он вдруг понял, что в его душе просыпается нежность к этой собаке.

По ночам, когда Бык и Люси спали, Эдвард, не умея сомкнуть глаз, смотрел на созвездия. Он вспоминал их названия, а потом вспоминал имена всех, кто его любил. Начинал он всегда с Абилин, потом называл Нелли и Лоренса, потом – Быка с Люси, а заканчивал снова именем Абилин, и получался такой порядок: *Абилин, Нелли, Лоренс, Бык, Люси, Абилин.*

«Ну, вот видишь, – говорил Эдвард про себя, обращаясь к Пелегрине, – я совсем не похож на твою принцессу, я знаю, что такое любовь».

Иногда Бык и Люси собирались у большого костра вместе с другими бродягами. Бык хорошо рассказывал разные истории, но ещё лучше пел.

– Спой-ка нам, Бык, – просили его приятели.

Бык садился на землю, Люси прислонялась к его левой ноге, а Эдвард – к правой, и Бык затягивал песню откуда-то из самой глубины своего живота, а может быть, души. И точно так же, как отзывались по ночам в теле Эдварда повизгивания и поскуливания Люси, так и сейчас глубокий, печальный звук песен, которые пел Бык, проникал в его фарфоровое нутро. Эдварду очень нравилось, когда Бык пел.

А ещё он был очень благодарен Быку, который каким-то образом почуял, что Эдварду не пристало носить платье.

– Послушай, Малоун, – сказал Бык как-то вечером, – я, конечно, не хочу обижать ни тебя, ни твою одежду, но вынужден признаться, что вкус у тебя не ахти. В этом девчачьем платьице ты как бельмо на глазу. Тоже мне принцесса выискалась. Кроме того, опять же не хочу тебя обидеть, но платье твоё приказало долго жить.

Действительно, прекрасное платье, которое сшила когда-то Нелли, не выдержало многодневного пребывания на свалке и дальнейших скитаний с Быком и Люси. Вообще-то оно уже мало походило на платье – такое оно было потёртое, рваное и грязное.

– Я нашёл решение, – сказал Бык, – и надеюсь, ты его одобришь.

Он взял свою вязаную шапку, вырезал в середине дырку побольше, по бокам – две поменьше, а потом снял с Эдварда платье.

– Люси, а ну-ка отвернись, – велел Бык собаке. – Не будем смущать Малоуна и глазеть, когда он голый.

Бык натянул шапку через голову Эдварда, а его лапки просунул в боковые отверстия.

– Вот и прекрасно, – сказал он. – Теперь осталось сварганить тебе какие-нибудь штаны.

Штаны Бык смастерил сам. Разрезав несколько красных носовых платков, он сшил куски так, что получилось пристойное одеяние для длинных лапок Эдварда.

– Теперь ты выглядишь точь-в-точь, как мы. Настоящий бродяга, – сказал Бык, отступив на шаг, чтобы полюбоваться на свою работу. – Самый настоящий беглый кролик.

◆

Глава четырнадцатая

Поначалу приятели Быка думали, что Эдвард – просто затянувшаяся добрая шутка старого бродяги.

– Опять твой кролик, – посмеивались они. – Давай-ка его заколем да положим в котелок.

А когда Бык усаживал Эдварда к себе на колено, кто-нибудь непременно говорил:

– Ну что, Бык, завёл себе куколку-подружку?

Эдвард, конечно, ужасно сердился за то, что его называли куклой. Но Бык никогда не сердился. Он просто сидел, держа Эдварда на коленях, и молчал. Вскоре весь бездомный народ привык к Эдварду, и о нём пошли самые добрые слухи. Стоило Быку с Люси появиться у костра в каком-нибудь новом городе или даже новом штате, короче, в совершенно новом месте, тамошние бродяги сразу понимали: это тот самый кролик. Все были рады его видеть.

– Привет, Малоун! – кричали они хором.

И на душе у Эдварда становилось тепло: его узнают, о нём слышали.

Та перемена, которая стала происходить в нём на кухне у Нелли, его новая способность – странная и непостижимая – сидеть совершенно неподвижно и внимательно слушать чужие рассказы, была поистине бесценным даром у костра бродяг.

– Поглядите-ка на Малоуна, – сказал однажды вечером человек по имени Джек. – Клянусь, он слушает каждое наше слово.

– Ну, разумеется, – подтвердил Бык. – Конечно слушает.

В тот же вечер, попозже, Джек снова пришёл к ним, сел возле Быка и попросил подержать кролика. Ненадолго. Бык дал Эдварда Джеку, и тот, устроив кролика на колене, принялся нашёптывать ему на ухо.

– Хелен, – говорил Джек, – Джек-младший, а ещё Таффи. Она совсем малышка. Так зовут моих детей. Они все в Северной Каролине. Ты когда-нибудь был

«Но меня очень сильно любили», – сказал Эдвард звёздам.

– Ну, тихо-тихо, – шепнула она кролику
и снова принялась его укачивать.

в Северной Каролине? Это вполне приличный штат. Там-то они все и живут. Хелен, Джек-младший, Таффи. Запомни эти имена. Хорошо, Малоун?

С тех пор, куда бы ни приходили Бык, Люси и Эдвард, кто-нибудь из бродяг непременно сажал кролика себе на колени и шептал ему на ухо имена своих детей. Бетти, Тэд, Нэнси, Уильям, Джимми, Айлин, Скиппер, Фэйт...

Эдвард и сам хорошо знал, как хочется повторять имена тех, кто много значат в твоей жизни.

Абилин, Нелли, Лоренс...

Он познал тоску по любимым людям. Поэтому он слушал бродяг очень внимательно. И сердце его раскрывалось широко, словно объятия. А потом даже шире и шире.

Эдвард скитался с Люси и Быком довольно долго, почти семь лет, и стал за это время настоящим бродягой: он был счастлив только в пути, и ему уже не сиделось на месте. Успокаивал его лишь перестук колёс, он стал для Эдварда самой желанной музыкой. Кролик мог бы ехать по железной дороге без конца. Но однажды ночью в Мемфисе, когда Бык и Люси спали в пустом товарняке, а Эдвард их охранял, пришла беда.

В товарный вагон вошёл какой-то человек, посветил фонариком в лицо Быку, а потом растолкал его пинками.

– Ну ты, жалкий бродяга, – грубо сказал он, – грязный жалкий бродяга. Мне уже опостылело, что ваша братия спит тут повсюду, в каждой щели. Вам тут не мотель.

Бык медленно сел, а Люси залаяла.

– А ну заткнись, шавка, – сказал сторож и пнул Люси ногой в бок. Она даже взвизгнула от неожиданности.

Всю свою жизнь Эдвард прекрасно знал, кто он такой: знал, что он кролик, что сделан он из фарфора, что у него есть руки, ноги и уши, которые гнутся. Ну, впрочем, гнуться сами по себе они не умели, только если он был в руках у какого-нибудь человека. Сам-то он не мог двигаться. И он никогда не сожалел об этом так сильно, как в ту ночь, когда сторож нашёл его, Быка и Люси в пустом товарном вагоне. Эдварду ужасно хотелось защитить Люси. Но он ничего не мог поделать. Он мог только лежать и ждать.

– Ну, чего молчишь? – рявкнул сторож.

Бык поднял руки над головой и сказал:

– Мы заблудились.

– Ха, заблудились! Ничего лучше не придумал? А это что ещё такое? – И он направил луч фонарика прямо на Эдварда.

– Это Малоун, – сказал Бык.

– Какого чёрта? – сказал сторож и пнул Эдварда мыском ботинка. – Всё это непорядок. Вы сами – непорядок. Но я непорядка не допущу, во всяком случае, в мою смену. Нет, шалишь. Пока я тут за что-то отвечаю, непорядка не будет.

Внезапно поезд тронулся.

– Нет, шалишь, – снова сказал сторож. – Не будут у меня кролики ездить зайцами. – Он повернулся, открыл дверь вагона и пинком выбросил Эдварда куда-то во тьму.

И кролик полетел вверх тормашками по терпкому весеннему воздуху.

Уже издалека он услышал, как тоскливо взвыла Люси.

– Уууууу, уууууууу... – плакала Люси.

Эдвард сильно ударился при приземлении, а потом долго катился кувырком с высокой грязной насыпи.

Наконец он остановился.

Он лежал на спине под ночным небом. Мир вокруг безмолвствовал. Эдвард больше не слышал Люси. И перестука вагонных колёс он тоже больше не слышал.

Он взглянул на звёзды. Начал было перечислять названия созвездий, но вскоре замолчал.

«Бык, – прошептало его сердце. – Люси».

Сколько же раз придётся ему прощаться с людьми, не имея даже возможности сказать им «прощай»?

Тут свою песню затянул одинокий сверчок.

Эдвард прислушался.

И что-то в глубине его души заныло, заболело.

Жаль, что он не умеет плакать.

◆

Глава пятнадцатая

А утром взошло солнце, и песню сверчка сменили птичьи трели. По тропинке под насыпью шла старуха и споткнулась прямо об Эдварда.

– Хм, – сказала она и ткнула в Эдварда своей длинной палкой. – Похоже, кролик.

Поставив корзинку на землю, она наклонилась и пристально посмотрела на Эдварда.

– Кролик. Только ненастоящий. – Она выпрямилась, снова хмыкнула, а потом почесала спину. – Что я всегда говорю? Я говорю, что всему найдётся применение. Всё пригодится.

Но Эдварду было всё равно, что она говорит. Резкая душевная боль, которую он испытал вчера ночью, уже притупилась, её сменили абсолютная пустота и отчаянье.

«Хочешь, подними меня, хочешь – оставь валяться здесь, – думал кролик. – Мне совершенно всё равно».

Но старуха его подняла.

Она сложила его пополам, сунула в свою корзинку, где пахло водорослями и рыбой, и пошла дальше, помахивая корзинкой и напевая:

– «Никто не видел и не ведал тех бед, что повидала я...»

Эдвард невольно прислушался.

«Я тоже видел разные беды, – подумал он. – Могу поклясться, я повидал их немало. И похоже, они никак не кончатся».

Эдвард был прав. Его беды на этом не кончились.

Старуха нашла ему применение: прибила его бархатные ушки гвоздями к деревянному шесту у себя в огороде. Раскинула ему руки, будто он летит, и накрепко прикрутила проволокой. На шесте, кроме Эдварда, было множество ржавых и колючих консервных банок. Они позвякивали, побрякивали и поблёскивали на утреннем солнце.

– Ну ты-то их распугаешь хорошенько, – сказала старуха.

«Кого надо распугивать?» – вяло удивился Эдвард.

Скоро обнаружилось, что речь шла о птицах.

О воронах. Они налетели целой стаей – каркали, вопили, носились над его головой, чуть ли не чиркая по ней когтями.

– Ну же, Клайд! – недовольно сказала женщина и захлопала в ладоши. – Изобрази что-нибудь посвирепее. Кыш!

Клайд? Эдвард почувствовал, как на него накатила усталость – такая сильная, что он готов был вздохнуть вслух. Неужели миру ещё не надоело давать ему всё новые и новые неправильные имена?

Старуха снова захлопала в ладоши.

– Кыш! Кыш! А ну-ка за работу, Клайд. Давай распугивай птиц.

И она направилась к своему маленькому домику в дальнем конце огорода.

Зато птицы не отставали. Они кружили над головой. Дёргали клювами нитки, распустившиеся на свитере. Особенно докучала ему одна ворона, она совсем не хотела оставить его в покое. Усевшись прямо на шест, она стала кричать Эдварду в левое ухо своё мрачное «кар-кар». И кричала долго-долго, без остановки. А солнце меж тем поднималось всё выше и сияло всё нестерпимее. Оно ослепило Эдварда, и на миг ему показалось, что большая ворона – это Пелегрина.

«Ну же, давай, – подумал он, – превращай меня в бородавочника, если хочешь. Мне всё равно. Мне всё уже давно всё равно».

«Кар-кар», – каркала ворона Пелегрина.

Наконец солнце зашло, и птицы улетели. А Эдвард всё висел, прибитый за бархатные уши, и смотрел в ночное небо. Он видел звёзды. Но впервые в жизни они не приносили ему покоя. Наоборот, ему казалось, что они издеваются, насмехаются над ним. Звёзды словно говорили: «Ты там, внизу, совсем один. А мы здесь, наверху, в созвездиях. Мы все вместе». «Но меня очень сильно любили», – возразил Эдвард звёздам. «Ну и что из этого? – отвечали звёзды. – Какая разница, любили тебя или нет, если ты всё равно остался совсем один?»

Эдвард не нашёлся с ответом.

В конце концов небо посветлело, и звёзды исчезли одна за другой. Вернулись птицы, а потом в сад вернулась старуха.

С собой она привела мальчика.

Глава шестнадцатая

– Брайс, – сказала старуха, – а ну-ка отлипни от этого кролика. Я тебе плачу не за то, чтоб ты на него пялился.

– Хорошо, мэм. – Мальчик вытер нос тыльной стороной ладони и продолжал глядеть на Эдварда.

Глаза у него были карие, с золотыми искорками.

– Эй, привет, – шепнул он Эдварду.

Ворона уселась было на голову кролика, но мальчик замахал руками и закричал:

– А ну кыш!

И птица, расправив крылья, улетела прочь.

– Эй, Брайс, – окликнула старуха.

– Что, мэм? – ответил Брайс.

– Не пялься на кролика и делай свою работу. Больше повторять не буду, просто выгоню.

– Хорошо, мэм, – ответил Брайс и снова провёл ладонью под носом. – Я за тобой вернусь, – шепнул он Эдварду.

Кролик целый день провисел прибитым за уши. Он жарился на жгучем солнце и смотрел, как старуха с Брайсом пропалывают и рыхлят землю в огороде. Когда старуха отворачивалась, мальчик обязательно поднимал руку и приветственно махал кролику.

Птицы кружили над головой Эдварда и смеялись над ним.

«Интересно, а каково иметь крылья?» – размышлял Эдвард.

Если б у него были крылья, когда его выбросили за борт, он не оказался бы на дне океана. Он не погрузился бы в пучину вод, а полетел бы вверх, в синее-синее небо. А когда Лолли выкинула его на свалку, он бы вылетел из мусора, полетел за ней и вонзил свои острые когти прямо ей в макушку. И тогда в товарняке, когда сторож выкинул его из поезда, Эдвард не упал бы на землю. Вместо этого он бы взлетел вверх, уселся на крышу вагона и посмеялся над этим человеком. Он бы тоже прокричал ему: «Кар-кар-кар!»

В конце дня Брайс вместе со старухой ушли с поля. Проходя мимо Эдварда, Брайс подмигнул ему на прощанье. А потом одна из ворон слетела Эдварду на плечо и принялась клевать его фарфоровое лицо. Это со всей очевидностью напомнило кролику, что у него не только нет крыльев, что он не только не умеет летать, но вообще не умеет двигаться сам. По своей воле он не может двинуть ни рукой, ни ногой.

Сначала поле окутали сумерки, а потом сгустилась настоящая тьма. Закричал козодой. Это был самый печальный звук, который когда-либо доводилось слышать Эдварду.

Вдруг до него донеслась песенка – играли на губной гармошке. Из темноты показался Брайс.

– Привет, – сказал он Эдварду. Он снова вытер ладонью под носом, а потом взял губную гармошку и сыграл ещё одну песенку. – Поспорим, ты не верил, что я вернусь? Но я вернулся. Я пришёл тебя спасти.

«Слишком поздно, – подумал Эдвард, когда Брайс залез на шест и стал отвязывать проволоку, которой были прикручены лапки кролика. – От меня прежнего ничего не осталось, одна пустая оболочка».

«Слишком поздно, – думал Эдвард, когда Брайс вытаскивал гвозди из его ушей. – Я просто кукла, фарфоровая кукла».

Но, когда был вынут последний гвоздь и Эдвард упал прямо в подставленные руки Брайса, к нему пришло облегчение, спокойствие, а потом даже радость.

«Может, и не слишком поздно, – подумал он. – Может, меня ещё стоит спасать».

Глава семнадцатая

Брайс перекинул Эдварда через плечо.

– Я пришёл забрать тебя для Сары-Рут, – сказал он и зашагал вперёд. – Ты, конечно, не знаешь Сару-Рут. Это моя сестра. Она болеет. У неё была кукла-пупс, тоже из фарфора. Она очень любила этого пупса, но он его сломал. Он сломал пупса. Он пришёл пьяный и наступил пупсу на голову. Пупс разбился вдребезги. Кусочки были совсем маленькие, и у меня не получилось их склеить. Ничего не вышло, хотя я старался прямо не знаю как.

Брайс остановился и, покачав головой, вытер нос ладонью.

– С тех пор Саре-Рут вообще не во что играть. Он ей ничего не покупает. Говорит, ей ничего не нужно. Он говорит, ей ничего не нужно, потому что она долго не проживёт. Но он же не знает этого точно, правда? – Брайс снова двинулся вперёд. – Он этого не знает, – твёрдо повторил мальчик.

Кто такой «он», Эдварду было не вполне понятно. Зато ему было понятно другое: его несут к какому-то ребёнку, у которого недавно разбилась кукла.

Кукла.

Как же Эдвард презирал кукол! Одна мысль о том, что ему предлагают заменить для кого-то куклу, была оскорбительна. Но всё-таки он был вынужден признать, что это куда лучше, чем висеть прибитым за уши к шесту на огороде.

Домик, в котором жили Брайс и Сара-Рут, был такой крошечный и кособокий, что Эдвард сначала даже не поверил, что это настоящий дом. Он принял его за курятник. Внутри стояли две кровати и керосиновая лампа. Вот и всё. Больше там ничего не было. Брайс положил Эдварда в ногах кровати и зажёг лампу.

– Сара, – прошептал Брайс, – Сара-Рут, проснись, солнышко. Я тебе кое-что принёс. – Он достал из кармана губную гармошку и стал наигрывать какую-то простенькую мелодию.

Маленькая девочка села на кровати и сразу закашлялась. Брайс положил руку ей на спину, стал поглаживать и успокаивать.

– Ну ладно, ну ничего страшного, сейчас пройдёт.

Она была совсем маленькая, лет, наверное, четырёх, с очень светлыми волосами. Даже при тусклом мерцании керосиновой лампы Эдвард видел, что её карие глаза тоже отливают золотом, как у Брайса.

– Ну, ничего-ничего, – говорил Брайс, – сейчас откашляешься, и всё пройдёт.

Сара-Рут не спорила. Она кашляла, кашляла и кашляла. А на стене домика билась в кашле её тень – такая маленькая, скукоженная. Этот кашель был самым печальным звуком, который Эдвард слышал в своей жизни, печальнее даже, чем крик козодоя. Наконец Сара-Рут перестала кашлять.

– Хочешь посмотреть, что я принёс? – спросил Брайс.

Сара-Рут кивнула.

– Тогда закрой глаза.

Девочка зажмурилась.

Брайс поднял Эдварда и держал его, чтобы он стоял прямо, как солдат, в изножье кровати.

– Ну ладно, открывай.

Сара-Рут открыла глаза, а Брайс стал двигать фарфоровые лапки Эдварда, словно тот танцевал.

Сара-Рут засмеялась и захлопала в ладоши.

– Кролик, – сказала она.

– Это для тебя, солнышко.

Сара-Рут посмотрела сначала на Эдварда, потом на Брайса, потом снова на Эдварда, глаза её расширились, но она всё ещё не верила.

– Он твой.

– Мой?

Как вскоре выяснил Эдвард, Сара-Рут редко произносила больше одного слова. Во всяком случае, если она говорила сразу несколько слов, то тут же начинала кашлять. Поэтому она себя ограничивала, говорила только то, что было совершенно необходимо.

– Он твой, – сказал Брайс. – Я его раздобыл специально для тебя.

Услышав эту новость, Сара-Рут согнулась пополам от кашля. Когда приступ прошёл, она выпрямилась и протянула руки к Эдварду.

– Ну вот и хорошо, – сказал Брайс и отдал ей кролика.

– Малыш, – сказала Сара-Рут.

Она стала укачивать Эдварда как маленького, смотрела на него и улыбалась.

Никогда в жизни с Эдвардом не обращались как с младенцем. Абилин так никогда не делала. Нелли тоже. Ну,

– Пойдём, Бубенчик.

– Посмотри, а потом уходи и больше не возвращайся.

а о Быке и говорить нечего. Но сейчас... Сейчас был особый случай. Его держали так нежно и в то же время так отчаянно, на него смотрели с такой любовью, что фарфоровому телу Эдварда вдруг стало тепло-тепло.

– Солнышко, как ты его назовёшь? – спросил Брайс.

– Бубенчик, – сказала Сара-Рут, не сводя глаз с Эдварда.

– Бубенчик? – повторил Брайс. – Хорошее имя, мне нравится.

Брайс погладил Сару-Рут по голове, а она всё не сводила глаз с Эдварда.

– Ну, тихо-тихо, – шепнула она кролику и снова принялась его укачивать.

– Я его как увидел, – сказал Брайс, – сразу понял, что он – для тебя. И я сказал себе: «Этот кролик достанется Саре-Рут, это точно».

– Бубенчик, – пробормотала Сара-Рут.

Снаружи, за дверью хижины, прогремел гром, потом послышался шум ливня, капли застучали по жестяной крыше. Сара-Рут укачивала Эдварда, а Брайс вынул губную гармошку и стал наигрывать, подстраивая свою песню под шум дождя.

Глава восемнадцатая

У Брайса и Сары-Рут был отец.

На следующее утро, совсем рано, когда свет ещё был тускл и неверен, Сара-Рут села на кровати и закашлялась, и в этот момент домой пришёл отец. Он схватил Эдварда за ухо и сказал:

– Ну не хухры!

– Это кукла такая, – сказал Брайс.

– Да не похоже это ни на какую куклу.

Схваченный за ухо Эдвард ужасно перепугался. Он сразу понял, что это тот самый человек, который разбивает головы фарфоровых кукол на тысячи кусочков.

– Его зовут Бубенчик, – сказала Сара-Рут между приступами кашля и потянулась к Эдварду.

– Это её кукла, – сказал Брайс. – Её кролик.

Отец бросил Эдварда на кровать, а Брайс тут же подобрал его и вручил Саре-Рут.

– А... какая разница? – сказал отец. – Вообще всё равно.

– Нет, это очень важно. Это её кролик, – сказал Брайс.

– Не пререкайся. – Отец замахнулся, ударил Брайса по лицу, после чего повернулся и вышел вон.

– Ты его не бойся, – сказал Брайс Эдварду. – Он просто всех пугает. А кроме того, он и дома-то редко появляется.

К счастью, отец в тот день действительно не вернулся. Брайс пошёл на работу, а Сара-Рут осталась в постели. Держа Эдварда на руках, она играла в коробку с пуговицами.

– Красиво, – говорила она Эдварду, выкладывая на кровати разные узоры из пуговиц.

Иногда, когда приступ кашля был особенно сильным, она прижимала к себе Эдварда так крепко, что он боялся, что переломится пополам. А между приступами кашля девочка сосала то одно, то другое ухо Эдварда. Будь на месте Сары-Рут любой другой человек,

Эдвард бы ужасно возмутился. Это ж надо! Такая бесцеремонность! Но в Саре-Рут было что-то особенное. Он хотел о ней заботиться. Он готов был отдать ей всё, не только уши.

В конце дня Брайс вернулся с печеньем для Сары-Рут и мотком бечёвки для Эдварда.

Сара-Рут взяла печенье двумя руками и стала откусывать совсем-совсем понемножку, буквально по крошечке.

– Съешь всё целиком, солнышко, а мне давай твоего Бубенчика, я подержу, – сказал Брайс. – У нас с ним есть для тебя сюрприз.

Брайс отнёс Эдварда в дальний угол комнаты, вынул перочинный ножик и отрезал два куска бечёвки. Одним концом он привязал их к лапам Эдварда, а другим – к веточкам.

– Знаешь, я целый день об этом думал, – шепнул кролику Брайс. – И понял, что можно заставить тебя танцевать. Сара-Рут обожает, когда танцуют. Мама когда-то брала её на руки и кружила с ней по всей комнате. Ну как, съела печенье? – спросил Брайс у Сары-Рут.

– Угу, – ответила Сара-Рут.

– Ну тогда смотри, солнышко. У нас для тебя сюрприз. – Брайс выпрямился. – Закрой глаза, – велел он сестре, принёс Эдварда к кровати и сказал: – Всё, можешь открывать.

Сара-Рут открыла глаза.

– А ну-ка потанцуй, Бубенчик. – Дёргая за веточки, привязанные к лапкам Эдварда, Брайс заставил кролика танцевать чуть ли не вприсядку; другой рукой он держал свою губную гармошку и наигрывал какую-то жизнерадостную мелодию.

Девочка засмеялась. Она смеялась, пока не начала кашлять. Тогда Брайс положил Эдварда на кровать, взял Сару-Рут на руки и стал её укачивать, гладить по спине.

– А хочешь на свежий воздух? – спросил он. – Давай-ка вынесем тебя на улицу.

И Брайс вынес девочку на улицу. Эдвард остался лежать на кровати и, глядя в потемневший от копоти потолок, снова подумал, как хорошо иметь крылья. Будь у него крылья, он бы взмыл высоко-высоко в небо и полетел над всем миром туда, где воздух чист, свеж и сладок. И он бы взял с собой Сару-Рут. Он держал бы её на руках. И уж конечно, поднимись они вверх, высоко-высоко над миром, она бы смогла дышать, совсем не кашляя.

Мгновение спустя Брайс вернулся в дом с Сарой-Рут на руках.

– Она хочет и тебя взять на улицу, – сказал он Эдварду.

– Бубенчик, – сказала Сара-Рут и протянула руки.

Брайс держал на руках Сару-Рут, Сара-Рут держала Эдварда, и они втроём вышли на улицу.

Брайс предложил:

– Давайте смотреть на звёзды. Как увидите падающую звезду, скорее загадывайте желание.

Все трое надолго замолчали, глядя в ночное небо. Сара-Рут перестала кашлять. Эдвард подумал, что она, может быть, заснула.

– Вон, вон звезда! – сказала девочка.

По ночному небу и правда летела звезда.

– Загадай желание, солнышко, – произнёс Брайс неожиданно высоким, напряжённым голосом. – Это твоя звезда. Ты можешь загадать всё что угодно.

И хотя эту звезду заметила Сара-Рут, Эдвард тоже загадал желание.

◆

Глава девятнадцатая

Дни шли, солнце всходило и заходило, потом снова всходило и снова заходило. Иногда отец являлся домой, а иногда не показывался. Уши у Эдварда стали жёваные, но его это нисколько не беспокоило. Свитер его распустился почти до последней нитки, но это его тоже не беспокоило. Его нещадно тискали и обнимали, но ему это нравилось. А по вечерам, когда Брайс брал в руки веточки, к которым были привязаны куски бечёвки, Эдвард танцевал и танцевал. Без устали.

Прошёл месяц, потом два месяца, три... Саре-Рут стало хуже. На пятый месяц она отказалась есть.

А когда наступил шестой месяц, она начала кашлять кровью. Дыхание её стало неровным и неуверенным, как будто в промежутках между вдохами она забывала, как надо дышать.

– Ну, солнышко, дыши, дыши же, – говорил Брайс, стоя рядом с ней.

«Дыши, – повторял Эдвард из её объятий, как из глубины колодца. – Пожалуйста, пожалуйста, дыши».

Брайс перестал ходить на работу. Он сидел дома целый день, держал Сару-Рут на руках, укачивал её, пел ей песни.

Одним ярким солнечным утром в сентябре Сара-Рут совсем перестала дышать.

– Нет, нет, этого не может быть! – твердил Брайс. – Ну, пожалуйста, солнышко, дыши, дыши ещё.

Эдвард выпал из рук Сары-Рут ещё накануне вечером, и она больше о нём не спрашивала. Лёжа на полу лицом вниз, закинув руки за голову, Эдвард слушал, как плачет Брайс. Потом он слушал, как в дом вернулся отец и стал кричать на Брайса. А потом отец заплакал, и Эдвард слушал, как он плачет.

– Ты не имеешь права плакать! – кричал Брайс. – Ты не имеешь права плакать. Ты её даже не любил. Ты вообще не знаешь, что такое любовь.

– Я любил её, – говорил отец. – Я любил её.

«Я тоже её любил, – думал Эдвард. – Я любил её, а теперь её нет на свете. Странно это, очень странно. Как дальше жить в этом мире, если здесь не будет Сары-Рут?»

Отец и сын продолжали кричать друг на друга, а потом наступил ужасный момент, когда отец заявил, что Сара-Рут принадлежит ему, что это его девочка, его ребёнок и он сам будет её хоронить.

– Она не твоя! – кричал Брайс. – Ты не имеешь права. Она не твоя.

Но отец был большой, сильный, и он победил. Он завернул Сару-Рут в одеяло и унёс. В домике стало очень тихо. Эдвард слышал, как по комнате бродит Брайс и что-то бормочет себе под нос. Наконец мальчик поднял Эдварда.

– Пойдём, Бубенчик, – сказал Брайс. – Нам теперь тут делать нечего. Мы поедем в Мемфис.

◆

Глава двадцатая

– Ты много видел в жизни танцующих кроликов? – спросил Брайс у Эдварда. – Зато я точно знаю, скольких видел я. Одного. Это ты. Вот так мы с тобой и подзаработаем. В прошлый раз, когда я был в Мемфисе, там как раз давали представление. Люди устраивают разные представления прямо на улице, на углу, а другие люди им за это бросают деньги.

Они шли до города всю ночь. Брайс шёл без остановок, держа Эдварда под мышкой, и всё время с ним разговаривал. Эдвард пытался слушать, но его снова охватило равнодушие. Именно так он чувствовал себя, когда был чучелом, прибитым к шесту в огороде у старухи. Ему всё было безразлично, и он знал, что никогда больше его ничто не будет волновать.

У Эдварда было не только пусто и уныло на душе. Ему было больно. Каждая часть его фарфорового тела болела. Ему было больно за Сару-Рут. Он хотел, чтобы она снова взяла его на руки. Он хотел для неё танцевать.

И он действительно стал танцевать, но уже не для Сары-Рут. Эдвард танцевал для незнакомых людей на грязном перекрёстке в Мемфисе. Брайс наигрывал на губной гармошке и подёргивал лапки Эдварда за верёвочки, Эдвард кланялся, шаркал ножкой, раскачивался, танцевал, кружился, а люди останавливались, тыкали в него пальцем и смеялись. На земле прямо перед ним стояла коробка Сары-Рут, та коробка, в которой девочка держала пуговицы. Крышка коробки была открыта, чтобы люди бросали туда монетки.

– Мама, – сказал какой-то малыш, – посмотри на этого кролика. Я хочу его потрогать. – И он протянул руку к Эдварду.

– Не смей! – сказала мать. – Он грязный. – Она оттащила ребёнка от Эдварда. – Он гадкий и противный, – сказала она. – Фу!

Какой-то человек в шляпе остановился и стал рассматривать Эдварда и Брайса.

– Танцы – это грех, – сказал он. А потом, после долгой паузы, добавил: – Особенно грешно, когда танцуют кролики.

Человек снял шляпу и прижал её к сердцу. Он стоял и смотрел на мальчика с кроликом долго, очень долго. В конце концов он снова надел шляпу и ушёл.

Тени стали длиннее. Солнце превратилось в оранжевый пыльный шар, который уже готов был скрыться за горизонтом.

Брайс заплакал. Эдвард увидел, как его слёзы падают на асфальт. Но мальчик не переставал играть на гармошке. И всё дёргал Эдварда за верёвочки. И Эдвард всё плясал.

Старая дама, опираясь на трость, подошла к ним совсем близко. И стала сверлить Эдварда глубоко посаженными чёрными глазами.

«Неужели это Пелегрина?» – подумал танцующий кролик.

Она кивнула ему.

«Ну что ж, смотри на меня, – сказал ей Эдвард, дёргая руками и ногами. – Смотри же на меня, твоё желание сбылось. Я научился любить. И это ужасно. Любовь разбила мне сердце. Помоги же мне».

Старуха повернулась и, припадая на одну ногу, пошла прочь.

«Вернись, – подумал Эдвард. – Пожалей меня. Почини».

Брайс заплакал ещё сильнее. И заставил Эдварда танцевать ещё быстрее.

Наконец, когда солнце зашло и улицы опустели, Брайс перестал играть.

– Ну вот, мы закончили, – сказал он. И уронил Эдварда на асфальт. – Я больше не стану плакать.

Брайс вытер нос и глаза ладонью, подобрал коробку из-под пуговиц и заглянул внутрь.

– На еду денег хватит, – сказал он. – Пойдём, Бубенчик.

◆

Глава двадцать первая

Столовая называлась «У Нила». Название было написано большими красными неоновыми буквами, которые то вспыхивали, то гасли. Внутри оказалось тепло, очень светло и пахло жареной курицей, тостами и кофе.

Брайс уселся у прилавка и посадил Эдварда на высокий табурет рядом с собой. Он прислонил кролика лбом к прилавку, чтобы тот не свалился.

– Ну что, мой сладкий, чем тебя угостить? – обратилась к Брайсу официантка.

– Дайте оладьи, – сказал Брайс, – ещё яйца, ну и кусок мяса. Настоящий бифштекс. А потом тосты и кофе.

Официантка перегнулась через прилавок и потянула Эдварда за ухо, потом откинула его чуть назад, чтобы увидеть его лицо.

– Это твой кролик? – спросила она Брайса.

– Да, мэм, теперь мой. Раньше это был кролик моей сестры. – Брайс вытер нос ладонью. – Мы с ним вместе показываем представления. Шоу-бизнес.

– Неужели? – сказал официантка.

На платье у неё болталась бирка, на которой было написано «Марлен». Она посмотрела Эдварду в глаза, а потом отпустила его ухо, так что он снова уткнулся лбом в прилавок.

«Да что там, не стесняйся, Марлен, – подумал Эдвард. – Толкай меня, пихай, пинай. Делай что хочешь. Какая разница. Я совсем пустой. Совсем пустой».

Принесли еду, и Брайс, не отрывая глаз от тарелки, съел всё до последней крошки.

– Ты и впрямь был голодный, – сказала Марлен, убирая тарелки. – Похоже, твой шоу-бизнес – тяжёлая работа.

– Угу, – сказал Брайс.

Марлен сунула чек под кофейную чашку. Брайс посмотрел на чек и покачал головой.

– Мне не хватит денег, – шепнул он Эдварду.

– Мэм, – сказал он Марлен, когда она вернулась налить ему кофе. – У меня нет столько денег.

– Что-что, мой сладкий?

– У меня нет столько денег.

Она перестала наливать ему кофе и посмотрела на него в упор.

– Тебе придётся обсудить это с Нилом.

Как выяснилось, Нил был и владельцем, и главным поваром. Огромный, рыжеволосый, красномордый мужик вышел к ним из кухни с поварёшкой в руке.

– Ты пришёл сюда голодный? – сказал он Брайсу.

– Да, сэр, – ответил Брайс. И вытер нос ладонью.

– Ты заказал еду, я приготовил её, Марлен тебе её принесла. Правильно?

– Ну, вроде так, – сказал Брайс.

– Вроде? – переспросил Нил. И ударил поварёшкой по прилавку.

Брайс вскочил.

– Да, сэр, то есть нет, сэр.

– Я. Приготовил. Еду. Для. Тебя, – отчеканил Нил.

– Да, сэр, – сказал Брайс.

Он схватил Эдварда с табуретки и прижал к себе.

Все в столовой перестали есть. Все смотрели на мальчика с кроликом и на Нила. Только Марлен отвернулась.

– Ты заказал. Я приготовил. Марлен подала. Ты съел. Что теперь? – сказал Нил. – Мне нужны деньги. – И он снова стукнул поварёшкой по прилавку.

Сердце Эдварда ёкнуло.

Брайс откашлялся.

– А вы когда-нибудь видели танцующего кролика? – спросил он.

– Это ещё что такое? – сказал Нил.

– Ну, вы видели когда-нибудь в жизни, чтоб кролик танцевал?

Брайс поставил Эдварда на пол и стал дёргать за верёвочки, привязанные к его лапам, чтобы тот начал потихонечку двигаться. Он достал губную гармошку и сыграл грустную мелодию под стать медленному танцу Эдварда.

Кто-то засмеялся.

Брайс перестал играть на губной гармошке и сказал:

– Он может ещё станцевать, если хотите. Он может танцевать, чтобы заплатить за то, что я съел.

Нил уставился на Брайса. А потом вдруг наклонился и схватил Эдварда за ноги.

– Вот что я думаю про танцующих кроликов, – сказал Нил, размахнулся и ударил Эдвардом о прилавок. Как поварёшкой.

Раздался сильный треск. Брайс вскрикнул.

И весь мир, мир Эдварда, стал чёрным.

Глава двадцать вторая

Были сумерки, и Эдвард шёл по тротуару. Он шёл совершенно самостоятельно, переставляя ноги одну за другой, одну за другой, без посторонней помощи. На нём был очень красивый костюм из красного шёлка.

Он шёл по тротуару, а потом свернул на садовую дорожку, которая вела к дому с освещёнными окнами.

«Я знаю этот дом, – подумал Эдвард. – Здесь живёт Абилин. Дом на Египетской улице».

Тут из дома, лая, прыгая, помахивая хвостиком, выбежала Люси.

– Смирно, девочка, лежать, – сказал глубокий, низкий мужской голос.

Эдвард посмотрел вверх и увидел, что в дверях стоит Бык.

– Привет, Малоун, – сказал Бык. – Привет, старый пирог с крольчатиной. Мы тебя ждали.

Бык широко распахнул дверь, и Эдвард вошёл в дом.

Там были и Абилин, и Нелли, и Лоренс, и Брайс.

– Сюзанна! – воскликнула Нелли.

– Бубенчик! – закричал Брайс.

– Эдвард, – сказала Абилин. И протянула к нему руки.

Но Эдвард не двигался. Он оглядывал комнату снова и снова.

– Ты ищешь Сару-Рут? – спросил Брайс.

Эдвард кивнул.

– Тогда надо выйти на улицу, – сказал Брайс.

И все они вышли на улицу. И Люси, и Бык, и Нелли, и Лоренс, и Брайс, и Абилин, и Эдвард.

– Вон там, смотри. – Брайс показал на звёзды.

– Точно, – сказал Лоренс, – это созвездие называется «Сара-Рут». – Он поднял Эдварда и усадил себе на плечо. – Вот там, видишь?

Эдварду стало очень печально где-то глубоко внутри, это было сладостное и очень знакомое ощущение. Сара-Рут есть, только почему она так далеко?

Если бы у меня были крылья, я бы полетел к ней.

Уголком глаза кролик увидел, что за спиной у него что-то трепещет. Эдвард заглянул себе за плечо и увидел крылья, самые потрясающие крылья, которые ему когда-либо доводилось видеть: оранжевые, красные, синие, жёлтые. Они были у него на спине. Его собственные крылья. Его крылья.

Какая же удивительная ночь! Он ходит без всякой помощи. У него есть элегантный новый костюм. А теперь ещё и крылья. Теперь он может лететь куда угодно, делать что угодно. Как же он сразу этого не понял?

Сердце его тоже затрепетало в груди. Он расправил крылья, слетел с плеча Лоренса и устремился вверх, в ночное небо, к звёздам, к Саре-Рут.

– Нет! – закричала Абилин.

– Поймайте его! – закричал Брайс.

Но Эдвард улетал всё выше.

Люси залаяла.

– Малоун! – закричал Бык. Он подпрыгнул и, схватив Эдварда за ноги, стянул с неба на землю. – Тебе ещё не пора, – сказал Бык.

– Останься с нами, – сказала Абилин.

Эдвард попытался взмахнуть, захлопать крыльями, но это было бесполезно. Бык крепко держал его и прижимал к земле.

– Оставайся с нами, – повторяла Абилин.

Эдвард заплакал.

– Я больше не выдержу, я не могу потерять его снова, – сказала Нелли.

– Я тоже, – сказала Абилин. – У меня тогда сердце разобьётся.

А Люси уткнулась в Эдварда мокрым носом.

И слизнула слёзы с его лица.

◆

Глава двадцать третья

– Потрясающая работа, – произнёс человек, проводя тёплой тряпочкой по лицу Эдварда. – Настоящее произведение искусства. Конечно, грязное, конечно, запущенное, но тем не менее настоящее искусство. А грязь это не помеха, с грязью справимся. Голову же мы тебе починили.

Эдвард взглянул человеку в глаза.

– А... вот ты наконец и очнулся, – сказал человек. – Теперь я вижу, что ты меня слушаешь. У тебя была сломана голова. Я её починил. Вернул тебя с того света.

«А сердце? – подумал Эдвард. – Сердце моё ведь тоже сломано».

– Нет, нет. Не стоит меня благодарить, – сказал человек. – Это моя работа, в самом буквальном смысле слова. Разрешите представиться. Меня зовут Люциус Кларк, и я ремонтирую кукол. Так вот, твоя голова... Да, пожалуй, я тебе всё расскажу. Хотя это может тебя расстроить. Но всё равно, правде надо смотреть в лицо и желательно при этом иметь на плечах голову, уж прости за каламбур. Ваша голова, молодой человек, превратилась в груду осколков, точнее в двадцать один кусочек.

«Двадцать один?» – бездумно повторил про себя Эдвард.

Люциус Кларк кивнул.

– Двадцать один, – сказал он. – И должен признаться без ложной скромности, что менее искусный кукольный мастер, чем я, может, и не справился бы с этой задачкой. Но я тебя спас. Ладно, не будем вспоминать о грустном. Будем говорить о том, что мы имеем на сегодняшний день. Вы снова целы, монсеньор. Ваш скромный слуга, Люциус Кларк, вернул вас из небытия, откуда практически нет возврата.

Кукольный мастер положил руку себе на грудь и низко поклонился Эдварду.

Эдвард лежал на спине, осмысливая эту длинную торжественную речь. Под ним был деревянный стол. Стол стоял в комнате, и через высокие окна лился солнечный свет. Ещё Эдвард уяснил, что недавно его голова была разбита на двадцать один кусочек, а теперь снова превратилась в целую голову. И никакого красного костюма на нём не было. На самом деле на нём вообще не осталось никакой одежды. Он снова был наг. И без крыльев.

А потом он припомнил: Брайс, столовая, Нил хватает его за ноги, размахивается...

Где Брайс?

– Ты, наверное, вспомнил про своего юного друга, – угадал Люциус. – У которого всё время из носа течёт. Он и принёс тебя сюда, плакал, умолял помочь. Всё твердил: «Склейте его, почините его». Что я ему сказал? Я ему сказал: «Юноша, я человек дела. Я могу склеить вашего кролика. Честно скажу – могу. Но всему есть своя цена. Вопрос в том, можете ли вы заплатить эту цену?» Он-то не мог. Разумеется, не мог. Так и сказал, что денег, мол, нет. Тогда я ему предложил два варианта на выбор. Только два. Первый: поискать помощи в другом месте. Ну а второй вариант заключался в том, что я тебя починю, сделаю всё, что в моих силах, а сил у меня, поверь, немало, и мастерство есть, а потом ты станешь моим. Не его, а только моим. – Тут Люциус замолчал. И кивнул, как бы подтверждая собственные слова. – Такие вот два варианта, – сказал он. – И твой друг выбрал второй. Он отказался от тебя ради того, чтобы ты ожил. Вообще-то он потряс меня до глубины души.

«Брайс», – снова подумал Эдвард.

– Не волнуйся, друг мой, не волнуйся. – Люциус Кларк уже потирал руки, готовый вновь взяться за дело. – Я намерен целиком и полностью выполнить свою часть договора. Ты у меня будешь как новенький, я верну тебе былое величие. У тебя будут уши из настоящей кроличьей шерсти, и настоящий кроличий хвостик. И усы мы тебе заменим. И глаза подкрасим, они снова будут ярко-голубые. И костюмчик тебе справим самый замечательный. А потом, в один прекрасный день, мне за эти труды воздастся сторицей. Всему своё время, всему своё время. Есть своё время, а есть кукольное время, так говорим мы, кукольных дел мастера. Ты, мой славный друг, наконец попал в кукольное время.

◆

Глава двадцать четвёртая

Эдварда Тюлейна починили, то есть буквально сложили заново, почистили, отполировали, одели в элегантный костюм и посадили на высокую полку, чтобы он был на виду у покупателей. С этой полки вся мастерская кукольника была как на ладони: и лавка, и рабочий стол Люциуса Кларка, и окна, за которыми остался внешний мир, и дверь, через которую входили-выходили покупатели. С этой полки Эдвард однажды увидел Брайса. Мальчик открыл дверь и остановился на пороге. В его левой руке ярким серебром сияла губная гармошка – её освещало лившееся сквозь окна солнце.

– Юноша, – строго сказал Люциус, – напоминаю, что мы с вами заключили сделку.

– А что, мне и посмотреть на него нельзя? – Брайс вытер нос тыльной стороной ладони, и от этого знакомого жеста сердце Эдварда захлестнуло волной любви и утраты. – Я просто хочу на него посмотреть.

Люциус Кларк вздохнул.

– Посмотри, – сказал он. – А потом уходи и больше не возвращайся. Ещё не хватало, чтобы ты тут околачивался каждое утро и скорбел о том, что потерял.

– Хорошо, сэр, – сказал Брайс.

Люциус снова вздохнул. Он встал со своего рабочего места, подошёл к полке, где сидел Эдвард, снял его и издали показал Брайсу.

– Привет, Бубенчик, – сказал Брайс. – Хорошо выглядишь. А последний раз, когда я тебя видел, ты выглядел ужасно, у тебя голова была вся разбита и...

– Он снова как новенький, – сказал Люциус. – Я же тебе обещал.

Брайс кивнул. И вытер рукой под носом.

– А подержать можно? – спросил он.

– Нет, – ответил Люциус.

Брайс снова кивнул.

– Скажи ему «до свидания», – сказал кукольник. – Я его починил. Спас. Ты должен сказать ему «до свидания».

«Не уходи, – мысленно просил Эдвард. – Я не выдержу, если ты уйдёшь».

– Тебе пора, – сказал Люциус Кларк.

– Да, сэр, – сказал Брайс. Но по-прежнему стоял неподвижно, глядя на Эдварда.

– Иди же, – сказал Люциус Кларк. – Уходи!

«Ну, пожалуйста, – просил Эдвард. – Не уходи».

Брайс повернулся. И вышел из лавки кукольника. Дверь закрылась. Звякнул колокольчик.

И Эдвард остался один.

Глава двадцать пятая

Ну, объективно он, разумеется, был не один. В мастерской Люциуса Кларка было полным-полно кукол: куклы-дамы и куклы-пупсы, куклы, чьи глаза открывались и закрывались, и куклы с нарисованными глазами, а ещё куклы-королевы и куклы в матросских костюмчиках.

Эдвард никогда не любил кукол. Противные, самодовольные, всё время щебечут ни о чём и к тому же ужасные гордячки.

Он ещё больше укрепился в этом мнении благодаря соседке по полке – фарфоровой кукле с зелёными стеклянными глазами, красными губками и тёмно-каштановыми волосами. На ней было зелёное атласное платье до колен.

– А кто ты такой? – спросила она высоким, писклявым голоском, когда Эдварда посадили рядом с ней на полку.

– Я кролик, – ответил Эдвард.

Кукла писклявo хихикнула.

– Ну, тогда ты попал не по адресу, – сказала она. – Здесь продают кукол, а не кроликов.

Эдвард промолчал.

– Убирайся прочь, – не унималась соседка.

– Я бы с радостью, – сказал Эдвард, – но совершенно очевидно, что сам я отсюда не слезу.

После долгого молчания кукла произнесла:

– Надеюсь, ты не рассчитываешь, что тебя кто-нибудь купит?

И снова Эдвард промолчал.

– Люди приходят сюда за куклами, а не за кроликами. И им нужны либо пупсики, либо элегантные куклы вроде меня, в красивых платьях и чтобы у них открывались и закрывались глаза.

– Мне вовсе не нужно, чтобы меня купили, – сказал Эдвард.

Кукла ахнула.

– Ты не хочешь, чтобы тебя купили? – изумлённо повторила она. – Не хочешь, чтобы у тебя была маленькая хозяйка, которая тебя любит?

Сара-Рут! Абилин! Их имена пронеслись в голове Эдварда, как ноты какой-то печальной, но сладкой музыки.

– Меня уже любили, – ответил Эдвард. – Меня любила девочка, которую звали Абилин. Меня любили рыбак и его жена, меня любили бродяга и его собака. Меня любил мальчик, который играл на губной гармошке, и девочка, которая умерла. Не говори со мной о любви, – сказал он. – Я знаю, что такое любовь.

После этой пылкой речи соседка Эдварда наконец заткнулась и молчала довольно долго. Но она не преминула оставить за собой последнее слово.

– И всё-таки, – сказала она, – я считаю, что тебя никто не купит.

Больше они друг с другом не разговаривали. Через две недели какая-то старушка приобрела зеленоглазую куклу для своей внучки.

– Да, да, вон ту, – сказала старушка Люциусу Кларку. – Вон ту, в зелёном платье. Она очень хорошенькая.

– Разумеется, – сказал Люциус. – Прелестная кукла.

И он снял её с полки.

«Что ж, прощай, скатертью дорога», – подумал Эдвард.

Место рядом с ним некоторое время пустовало. Шли дни. Дверь в магазин-мастерскую то открывалась, то закрывалась, впуская то ранний утренний, то поздний закатный свет, и каждый раз сердца кукол вздрагивали. Каждая думала, что на этот раз дверь широко распахнулась, впуская того самого человека, который пришёл именно за ней.

Один Эдвард ничего и никого не ждал. Он даже гордился тем, что он никого не ждёт, ни на что не надеется и сердце не ёкает у него в груди. Он гордился тем, что его сердце молчит, бесстрастное, закрытое для всех.

«Я покончил с надеждами», – думал Эдвард Тюлейн.

Но однажды в сумерках, перед тем как закрыть магазин, Люциус Кларк посадил рядом с Эдвардом новую куклу.

◆

Глава двадцать шестая

– Ну, вот вы и на месте, миледи. Знакомьтесь, это ваш сосед-кролик, игрушечный кролик, – сказал кукольных дел мастер и ушёл, выключив в помещении все светильники.

В полумраке Эдвард смог рассмотреть голову куклы, которая, как и его собственная, была, видимо, когда-то разбита, а потом склеена вновь. Всё лицо куклы было испещрено трещинами. На ней был детский чепчик.

– Здравствуйте, – сказала она высоким слабым голоском. – Очень рада с вами познакомиться.

– Привет, – сказал Эдвард.

– Вы здесь давно? – спросила она.

– Уже много месяцев, – сказал Эдвард. – Но мне всё равно. Для меня что одно место, что другое – всё едино.

– А для меня нет, – сказала кукла. – Я прожила уже сто лет. И за это время я побывала в разных местах: и в райских, и в совершенно ужасных. Через какое-то время начинаешь понимать, что каждое место интересно по-своему. И на новом месте ты сама становишься совсем другой куклой. Совершенно другой.

– Вам сто лет? – не поверил Эдвард.

– Да, я очень старая. Кукольник это подтвердил. Пока он меня чинил, он сказал, что мне по меньшей мере сто лет. По меньшей мере. А на самом деле, может быть, и больше.

Эдвард припомнил всё, что произошло с ним за его куда более короткую жизнь. Сколько же всего случилось с ним за это время!

А если жить на земле целых сто лет?

Что ещё может со мной стрястись?

Старая кукла промолвила:

– Интересно, кто придёт за мной на этот раз? Ведь кто-то обязательно придёт. Всегда кто-то приходит. Кто же будет на этот раз?

– А мне всё равно, – отозвался Эдвард. – Пусть даже никто не придёт. Всё равно...

– Ужасно! – воскликнула старая кукла. – Как можно жить с подобными мыслями? В такой жизни нет никакого смысла. Внутри должно жить ожидание, предвкушение. Надо жить надеждой, купаться в ней. И думать о том, кто полюбит тебя и кого ты полюбишь в ответ.

– Я покончил с любовью, – отрезал Эдвард. – Я с этим делом покончил. Это слишком больно.

– Ну вот ещё! – возмутилась старая кукла. – Где же твоя отвага?

– Да где-то затерялась, – ответил Эдвард.

– Ты меня разочаровал, – сказала кукла. – Ты разочаровал меня до глубины души. Если у тебя нет намерения любить и быть любимым, тогда в путешествии под названием «жизнь» нет никакого смысла. Тогда почему тебе не соскочить прямо сейчас с этой полки и не разбиться на миллион кусочков? Как ты говоришь – «покончить с этим». Просто покончить с этим раз и навсегда.

– Я бы спрыгнул, если б мог, – сказал Эдвард.

– Тебя подтолкнуть? – спросила старая кукла.

– Да нет, спасибо, – ответил Эдвард. – Да ты и не можешь, – пробормотал он себе под нос.

– Что-что? – переспросила кукла.

– Ничего, – буркнул Эдвард.

Темнота в кукольном магазине совсем сгустилась.

Старая кукла и Эдвард сидели на своей полке, уставившись в кромешную тьму.

– Ты меня разочаровал, – повторила старая кукла.

Её слова напомнили Эдварду о Пелегрине, о бородавочниках и принцессах, об умении слушать и умении любить, о заклятиях и проклятиях.

А что, если и правда кто-то в мире ждёт именно меня и хочет меня полюбить? Тот, кого и я смогу полюбить? Неужели это возможно?

Эдвард почувствовал, что сердце его ёкнуло.

«Нет, – сказал он своему сердцу. – Это невозможно. Невозможно».

Утром пришёл Люциус Кларк.

– Доброе утро, мои драгоценные, – поздоровался он с куклами. – Доброе утро, мои хорошенькие.

Он раскрыл ставни на окнах. Потом включил свет над своим рабочим столом и, подойдя к двери, перевернул табличку с «закрыто» на «открыто».

Первой покупательницей была маленькая девочка. Она пришла с папой.

– Вы ищете что-то конкретное? Особенное? – спросил Люциус Кларк.

– Да, – ответила девочка. – Я ищу себе подругу.

Папа посадил её себе на плечи, и они стали медленно обходить магазин.

Девочка пристально изучала каждую куклу. Она заглянула Эдварду прямо в глаза.

– Ну что, Натали, какую берём? – спросил папа. – Ты решила?

– Да, решила, – кивнула девочка. – Я хочу вот ту куклу, в чепчике.

– Ах, вот какая кукла тебе понравилась, – сказал Люциус Кларк. – Она очень старая. Антикварная.

– Но я ей нужна, – твёрдо сказала Натали.

Сидя рядом с Эдвардом, старая кукла с облегчением вздохнула. Она даже вроде бы немножечко подтянулась, расправила плечи. Люциус подошёл к полке, снял куклу и вручил Натали. Когда они выходили, девочкин папа распахнул дверь перед дочкой и её новой подругой, в мастерскую проник ранний утренний свет, и Эдвард отчётливо услышал голос старой куклы – так ясно, будто она по-прежнему сидела на полке рядом с ним: «Раскрой своё сердце, – мягко сказала она. – Кто-то придёт. За тобой кто-то придёт, обязательно. Но сначала ты должен раскрыть своё сердце».

Дверь захлопнулась. И солнечный свет исчез.

«За тобой кто-то придёт».

У Эдварда снова ёкнуло сердце. Он вспомнил, впервые за долгое время, о доме на Египетской улице, вспомнил Абилин, вспомнил, как она заводила ему часы, как наклонялась над ним, как клала ему часы на левую коленку и говорила: «Жди, я скоро вернусь».

«Нет-нет, – сказал он себе. – В это нельзя верить. Не позволяй себе в это верить».

Но было слишком поздно.

«За тобой кто-то придёт», – стучало у него в голове.

Сердце фарфорового кролика снова начало раскрываться.

Глава двадцать седьмая

Одно время года сменяло другое. За осенью наступала зима, потом весна, потом и лето. Дверь открывалась, и в мастерскую Люциуса Кларка попадали капли дождя, залетали палые листья или лился молодой весенний свет – свет надежды, окаймлённый бледно-зелёным узором листвы. Приходили и уходили покупатели: бабушки, коллекционеры кукол, маленькие девочки с мамами.

А Эдвард Тюлейн всё ждал.

Год проходил за годом, одна весна сменяла другую.

Эдвард Тюлейн ждал.

Он снова и снова повторял слова старой куклы, пока они не угнездились в его голове окончательно и не стали повторяться сами собой: *кто-то придёт, за тобой кто-то придёт.*

И старая кукла оказалась права.

За ним действительно пришли.

Дело было весной. Шёл дождь. В магазине Люциуса Кларка в стеклянной банке расцвела веточка кизила.

Пришла маленькая девочка лет, наверное, пяти, и, пока её мама пыталась закрыть синий зонт, девочка стала бродить по магазину, останавливаясь и внимательно глядя на каждую куклу. Постоит-постоит, а потом отойдёт.

Дойдя до Эдварда, она замерла и стояла, как ему показалось, очень-очень долго. Она смотрела на него, а он на неё.

«Кто-то придёт, – сказал себе Эдвард. – За мной кто-то придёт».

Девочка улыбнулась, а потом встала на цыпочки и достала Эдварда с полки. И начала баюкать. Она держала его так же нежно и так же отчаянно, как когда-то Сара-Рут.

«Я это помню, – с грустью подумал Эдвард. – Так уже было».

– Мадам, – сказал Люциус Кларк, – пожалуйста, последите за своей дочерью. Она сняла с полки очень хрупкую, очень ценную и очень дорогую куклу.

– Мегги, – окликнула девочку женщина, оторвавшись от зонтика, который никак не закрывался. – Что ты взяла?

– Кролика, – сказала Мегги.

– Что?

– Кролика, – повторила Мегги. – Я хочу кролика.

– Разве ты не помнишь, мы сегодня не собираемся ничего покупать. Мы зашли просто посмотреть, – сказала женщина.

– Мадам, – сказал Люциус Кларк, – пожалуйста, взгляните на эту игрушку. Не пожалеете.

Женщина подошла поближе, встала рядом с Мегги. И посмотрела на Эдварда.

У кролика закружилась голова.

На миг ему показалось, что голова его снова расколота или что он просто спит и ему снится сон.

– Мама, посмотри, – сказала Мегги, – посмотри на него.

– Смотрю, – сказала женщина.

И уронила зонтик. И схватилась рукой за грудь. И тут Эдвард увидел, что на груди у неё висит не кулон, не амулет, а часы. Карманные часы.

Его часы.

– Эдвард? – произнесла Абилин.

«Да, это я», – сказал Эдвард.

– Эдвард, – снова повторила она, на этот раз совершенно уверенно.

«Да, – сказал Эдвард, – да, да, да! Это я!»

◆

Эпилог

Однажды жил на свете фарфоровый кролик, которого любила маленькая девочка. Этот кролик отправился в путешествие по океану и упал за борт, но его спас рыбак. Он был погребён в куче мусора, но его отрыла собака. Он долго странствовал с бродягами и совсем недолго простоял чучелом в огороде.

Однажды жил на свете кролик, который любил маленькую девочку и видел, как она умерла.

Этот кролик танцевал на улицах Мемфиса. Повар разбил ему голову, а кукольных дел мастер её склеил.

И кролик поклялся, что больше никогда не совершит этой ошибки – никогда не будет никого любить.

Однажды жил на свете кролик, который танцевал в весеннем саду вместе с дочкой той девочки, которая любила его в самом начале его жизни. Танцуя, девочка кружила кролика по лужайке. Иногда они кружились так быстро, что даже казалось, будто у них есть крылья и они летят.

Однажды жил на свете кролик, который в один прекрасный день вернулся домой.

◆

Оглавление

Литературно-художественное издание

Для младшего школьного возраста

Кейт ДиКАМИЛЛО

УДИВИТЕЛЬНОЕ ПУТЕШЕСТВИЕ КРОЛИКА ЭДВАРДА

Сказочная повесть

Ответственный редактор *А. Бирюкова*
Художественный редактор *Е. Антоненков*
Технический редактор *Т. Андреева*
Корректор *Н. Соколова*
Верстка *О. Краюшкина*

Подписано в печать 11.03.2010.
Формат 84×100 $^{1}/_{16}$. Бумага офсетная.
Гарнитура «NewBascervill». Печать офсетная. Усл. печ. л. 12,48.
Доп. тираж 8000 экз. D-DL-1327-04-R. Заказ 1024.

ООО «Издательская Группа Аттикус» —
обладатель товарного знака Machaon
119991, Москва, 5-й Донской проезд, д. 15, стр. 4
Тел. (495) 933-7600, факс (495) 933-7620
E-mail: sales@atticus-group.ru
Наш адрес в Интернете: www.atticus-group.ru

ОПТОВАЯ И МЕЛКООПТОВАЯ ТОРГОВЛЯ

В Москве:
Книжная ярмарка в СК «Олимпийский»
129090, Москва, Олимпийский проспект, д. 16,
станция метро «Проспект Мира»
Тел. (495) 937-7858

В Санкт-Петербурге «Аттикус-СПб»:
198096, Санкт-Петербург, Кронштадтская ул., д. 11, 4-й этаж, офис 19
Тел./факс (812) 325-0314, (812) 325-0315

В Киеве «Махаон-Украина»:
04073, Киев, Московский проспект, д. 6, 2-й этаж
Тел. (044) 490-9901
E-mail: sale@machaon.kiev.ua

Отпечатано в ЗАО «ИПК Парето-Принт», г. Тверь
www.pareto-print.ru

КНИГИ
КЕЙТ ДиКАМИЛЛО

Издательство «Махаон» представляет авторскую серию книг, адресованных читателям дошкольного, младшего и среднего школьного возраста.

«Спасибо Уинн-Дикси»

За эту книгу о забавной и совершенно необыкновенной дворняге по кличке Уинн-Дикси Кейт ДиКамилло получила золотую медаль всеамериканского общества «Выбор родителей» и «Медаль Ньюбери» – приз за особый вклад в американскую детскую литературу.

«**Как слониха упала с неба**» – это трогательная история о том, как мальчик Питер с помощью чуда нашёл свою сестрёнку.

Третья книга – «**Приключения мышонка Десперо**» – сказка о храбром и благородном мышонке. В Америке по ней снимается полнометражный мультипликационный фильм, в котором главного героя озвучивает знаменитый актёр Дастин Хофман.

Не пропустите книги Кейт ДиКамилло, которые учат детей любить жизнь, быть добрыми и отвечать любовью на любовь!